Annie Pietri

Les Orangers de Versailles

bayard jeunesse

Annie Pietri vit en région parisienne. Forte de son expérience d'orthophoniste, elle crée d'abord des livres-jeux qui remportent un franc succès, puis écrit son premier roman pour Bayard Jeunesse : *Les orangers de Versailles*, dont la suite paraît quelques années plus tard : *Parfum de meurtre* et *Pour le cœur du roi*. Elle est également l'auteur de *L'espionne du Roi-Soleil* et du *Collier de rubis*, de la trilogie « Les miroirs du palais », du *Sourire de Marie-Adelaïde* et de la nouvelle saga *Les Bosquets de Versailles*. Un autre de ses romans, *Carla aux mains d'or*, est publié par Hachette Jeunesse.

Aux Éditions Bayard, dans la collection Estampille :

Les orangers de Versailles, T. 1, 2000
Parfum de meurtre, T. 2, 2009
Pour le cœur du roi, T. 3, 2010
L'espionne du Roi-Soleil, T. 1, 2002
Le collier de rubis, T. 2, 2003

Les miroirs du Palais
Le serment de Domenico, T. 1, 2007
L'allée de lumière, T. 2, 2008
Le Grand Diamant Bleu, T. 3, 2012

http://www.anniepietri.com

Calligraphie : Nathalie Tousnakhoff
© 2009, Bayard Éditions
© 2000, Bayard Éditions Jeunesse
18, rue Barbès, 92128 Montrouge Cedex
ISBN : 978-2-2277-3910-9 – Dépôt légal : 2000
Vingtième édition

Impression réalisée par CPI BRODARD ET TAUPIN
en septembre 2014 – N° d'impression : 3007358

1

– Antoine, ta fille a presque quatorze ans, et elle travaille toujours pas ! À son âge, mes enfants gagnaient déjà leur pain depuis longtemps. Ma parole, tu vas la nourrir à rien faire jusqu'à ses épousailles !

Augustine, la femme de Gaspard Lebon, s'était plantée devant Antoine, ses grosses mains rouges bien ancrées sur les hanches.

– J'ai appris que la marquise de Montespan cherche des servantes. C'est une chance d'entrer au service de la favorite ! Chez elle, ta fille verra le roi tous les jours ! Gaspard et moi, comme tous ceux qui travaillent aux jardins, on se dit que ta Marion est capable. Pense donc ! Une fille de jardinier qui sait lire et écrire ! C'est sûr que tu es un bon père, mais tu devrais pas la laisser traîner dans le parc, habillée comme un garçon, à ramasser des mauvaises herbes. C'est pas comme ça que tu vas réussir à la placer !

Antoine avait regardé Augustine droit dans les yeux :

– Elle ramasse pas des mauvaises herbes. Elle herborise !

2

Antoine n'était pas homme à se laisser impressionner, mais, ce matin-là, il présentait sa fille à la marquise. Alors, dès qu'ils furent entrés dans le petit salon, il se mit à pétrir son chapeau de ses mains brunes et rugueuses. La surprise était de taille ! Athénaïs de Montespan, la belle marquise, avait décidé de choisir elle-même parmi les sept fillettes qui attendaient à l'office. Marion était la première à paraître devant elle. La favorite braqua sur elle ses yeux bleu clair. Ce regard éblouissant, éclatant de vivacité et d'intelligence, envoûtait le roi et fascinait toute la cour. Pourtant, elle n'était pas aimée à Versailles. Sa réputation était celle d'une intrigante sans scrupules ; d'une courtisane ambitieuse prête à tout pour rester en faveur auprès du roi ; d'une orgueilleuse avide d'honneurs et de richesses. Mais, pour l'avoir déjà aperçue dans le parc, lors des promenades du roi, Marion savait que la marquise était très belle.

Ce jour-là, elle recevait assise dans un grand fauteuil, noyée dans l'étoffe bleu et or de sa magnifique robe. Elle portait les couleurs du roi. De beaux cheveux blonds, harmonieusement bouclés, encadraient son visage.

Et ce parfum majestueux qui s'envolait au moindre de ses gestes... D'ailleurs, tout ce qui l'entourait respirait la majesté : les miroirs de Venise, l'or des boiseries, les tentures raffinées, les tapis soyeux venus d'Orient, les cristaux des lustres émiettant les reflets dorés de l'éclat des bougies...

Marion se sentait aussi intimidée que si elle avait été présentée à la reine. Athénaïs n'était pas reine de France, et pourtant elle était toute-puissante. Elle régnait sans partage sur le cœur de Louis XIV, dont elle était la favorite depuis sept ans et à qui elle avait déjà donné quatre enfants.

— Ta fille est chétive, Antoine Dutilleul. Tu as menti sur son âge.

— Je n'ai pas menti, Madame la marquise.

— Comprenons-nous bien. Je ne veux pas de servantes trop jeunes, qui pourraient devenir les compagnes de jeu de mes enfants. Les pauvres mignons risqueraient de s'y attacher sottement, comme autrefois le roi aux enfants des femmes de chambre de sa mère. Cette petite paraît avoir dix ou onze ans. Es-tu sûr qu'elle sera assez solide pour travailler à mon service ?

— Quand Marie, ma femme, est morte, la petite

n'avait pas dix ans. Sa mère lui manque, et elle en a perdu le sommeil. Elle ne dort pas plus d'une heure par-ci, deux heures par-là. Mais elle est travailleuse et jamais lasse. Elle ne sait pas rester sans rien faire. Même la nuit. Ça m'empêche de dormir... Sans parler de ce que ça me coûte en chandelles !

Un éclair brilla dans les yeux d'Athénaïs en même temps qu'un sourire fugace découvrait ses dents parfaites. Encouragé, Antoine fit un pas vers elle et, après avoir jeté un bref coup d'œil à sa fille, il chuchota :

— Ce qu'elle préfère, c'est fabriquer des sachets de senteurs avec les fleurs qu'elle cueille dans le parc. L'an passé, j'ai voulu la placer comme apprentie chez un parfumeur. Mais ils veulent que des garçons. Pourtant, elle connaît le parfum de chaque plante, de chaque fleur. Jamais vu une mémoire pareille ! Elle pourrait aussi être jardinière. Mais ça, pour sûr, c'est pas un métier de fille !

Cette enfant au beau regard sombre, doux et profond, déroutait la marquise. Elle ne ressemblait en rien aux servantes qui l'avaient si mal servie jusque-là et qu'elle avait renvoyées sans pitié.

Un visage long et pâle, un nez droit mais sans finesse, des cheveux blonds mal coiffés sous un bonnet de grosse toile et ce corps maigrelet, presque disgracieux, affublé d'une robe trop courte et de sabots un peu grands... « Joli portrait, en vérité », pensa Athénaïs.

Malgré cela, elle ne pouvait rester insensible au charme indéfinissable qui émanait de cette petite personne. La favorite, rodée à toutes les intrigues de cour, savait très bien lire dans les âmes. Tout la séparait de cette enfant : la noblesse, la beauté, la fortune, le pouvoir... Pourtant, le simple fait de la regarder éveilla en elle un sentiment étrange : une sorte d'étonnement mêlé à une pointe d'inquiétude. Elle devina en elle une force de caractère et une détermination hors du commun.

Elle se pencha vers Claude des Œillets, sa dame d'honneur et confidente. Son choix était arrêté. Toutes celles qui attendaient à l'office pouvaient partir.

– Ta fille entre à mon service dès maintenant. J'espère seulement que tout ce que tu as dit est vrai. Sinon, elle sera chassée comme les autres.

La fillette baissa la tête pour cacher son émotion. Elle ne voulait pas quitter son père et, secrètement, elle avait souhaité que la marquise les renvoie. Ses yeux brillaient de larmes quand Antoine la serra dans ses bras pour lui dire au revoir.

Marion suivit une servante dans les couloirs et les escaliers de service. Leurs pas résonnaient sur les tomettes qui sentaient bon la cire fraîche. Les petites chambres des domestiques se trouvaient sous les toits. On y logeait à deux. La pièce qu'on lui indiqua était déjà occupée, car des vêtements traînaient sur l'un des deux lits. Une table minuscule était recouverte d'objets de toilette, d'assiettes sales et de miettes de pain. L'unique lucarne laissait voir un coin de ciel gris foncé et distillait une lumière avare. Tout l'étage sentait la poussière, l'humidité et les relents d'urine des pots de chambre qu'on n'avait pas encore vidés.

C'est à ce moment-là que Marion vit une jeune fille arriver en courant.

– Moi, c'est Lucie, Lucie Cochois. On va habiter ensemble, à ce que je vois ! dit-elle en souriant. Suis-moi, petite. Pour l'heure, la marquise te réclame au grand salon.

Avec une révérence maladroite, Antoine avait quitté les appartements de la Montespan. Sur le chemin de l'orangerie, il avait regardé le ciel et remis son chapeau chiffonné. L'orage allait éclater.

3

Depuis le matin, le tonnerre promenait ses roulements de tambour autour du château de Versailles. Aiguillonnés par le vent, de lourds nuages s'étaient accumulés avec une incroyable rapidité et pesaient maintenant comme une chape de plomb sur les toits d'ardoise. La chaleur était lourde pour un mois de juin. Il faisait sombre. Une âpre lumière jaune baignait la cour royale, sur laquelle ouvraient les fenêtres de l'appartement de la favorite. Elle se tenait assise sur un sofa, entourée d'une multitude de coussins moelleux, et attendait l'orage. D'une main nerveuse, elle caressait son chien, une sorte d'épagneul hirsute et un peu fou qui répondait au nom de Pyrrhos.

Soudain, la foudre tomba près de la grille d'honneur. Une boule de feu, énorme, superbe, éclatante de lumière comme un feu d'artifice ! Aussitôt le tonnerre, tel un coup de canon, déchira l'atmosphère figée de cette fin de journée. Toutes les vitres du château tremblèrent. Pyrrhos plongea sous le divan et se réfugia derrière les jupes de sa maîtresse.

La marquise redoutait l'orage. Pour elle, l'enfer venait d'ouvrir ses portes. Les démons des ténèbres rampaient vers elle... leurs bras se tendaient pour la saisir à la gorge et l'étouffer... bientôt, de leurs griffes monstrueuses, ils allaient lui arracher le cœur... Lucifer, impatient, attendait que la sinistre besogne soit achevée pour engloutir son corps dans l'abîme bouillonnant de ses entrailles...

Les femmes de chambre s'empressèrent autour d'Athénaïs évanouie. On lui fit respirer des sels, de « l'eau de Hongrie » au parfum précieux, du vinaigre. On l'éventa. En vain. Elle demeurait inconsciente. La sueur perlait sur la peau laiteuse de son décolleté, effaçant peu à peu la poudre dont on l'enveloppait chaque matin. Sur un guéridon, des pastilles de senteur à la cannelle se consumaient dans un brûle-parfum en porcelaine de Chine.

Marion ne savait pas pourquoi la Montespan avait souhaité la garder auprès d'elle. Obéissante, elle restait là, à côté du divan, et observait en silence une servante qui délaçait le corset de la marquise.

Dans son refuge, Pyrrhos grognait et montrait les crocs à chaque fois que quelqu'un approchait sa maîtresse. Il essaya même de mordre la cheville de Lucie, qui apportait de l'eau bénite. Celle-ci lui décocha un coup de pied dans les babines. Le chien en fut pour ses frais et retourna se cacher en couinant.

Les éclairs et les grondements se succédaient sans relâche. Enfin, la pluie se décida à tomber. Marion aimait l'orage. Puisqu'on ne lui demandait rien, elle s'approcha d'une fenêtre pour admirer le beau spectacle du ciel en furie. Du premier étage, elle apercevait, sur la droite, le damier noir et blanc de la cour de marbre. D'énormes gouttes s'aplatissaient sur le sol en crépitant, et bientôt tout fut inondé. L'eau dévalait les toits, débordait des gouttières et ruisselait sur les vitres.

Claude des Œillets la saisit par le bras et la ramena à la réalité. Athénaïs, revenue à elle, la réclamait. Elle devait retourner près du sofa.

Des dizaines de bougies illuminaient la chambre. Il y faisait clair comme aux plus belles heures d'une journée d'été. La favorite craignait l'obscurité autant que l'orage.

– La petite est là, Madame, annonça la des Œillets.

– Qu'elle approche !

Les yeux baissés, attendant une réprimande pour s'être éloignée, Marion se planta devant la marquise. Sans rien ajouter, celle-ci la prit dans ses bras et la garda longtemps serrée contre son cœur. Les autres servantes et les femmes de chambre s'écartèrent pour vaquer à leurs occupations. Marion ne comprenait rien, mais n'osait pas bouger. Soudain, Pyrrhos, qui s'était fait oublier depuis le coup de pied de Lucie, sortit comme un fou de dessous le divan… Toutes ces femmes qui se permettaient sans cesse de toucher sa maîtresse adorée, et maintenant cette inconnue qu'Athénaïs cajolait ! C'en était trop ! Électrisé par l'orage, ivre de colère et de jalousie, l'épagneul planta ses crocs redoutables dans le mollet droit de la pauvre enfant. Les cris de douleur de Marion se perdirent dans un coup de tonnerre encore plus assourdissant que les autres. Athénaïs pensa que les démons de la mort frappaient de nouveau. La fillette, dont la jambe saignait abondamment, se débattait pour échapper à la fois au chien et à la maîtresse. Mais la marquise resserra son étreinte.

Lucie courut jusqu'au guéridon, attrapa le brûle-parfum et le fracassa sur la tête du chien. Il finit par lâcher prise et glissa, inanimé, sur le sol. En tombant, une pastille de senteur incandescente lui brûla la truffe. Elle alla ensuite s'éteindre sur le tapis, laissant une petite trace noire au milieu des taches de sang.

Le lendemain matin, il faisait beau. L'aube pastel rosissait les guirlandes de bronze doré qui couraient sur le faîte des toits d'ardoise. Lorsque Claude des Œillets lui raconta l'incident, Athénaïs était assise dans son grand lit et prenait un solide petit déjeuner. Elle plaignit beaucoup son pauvre Pyrrhos au crâne endolori et dont les yeux louchaient sur une truffe rouge et enflée. Pour le consoler, elle lui tendit une poignée de petits macarons aux pistaches, qu'il avala tout rond. Après avoir donné ses ordres pour la journée, la marquise regarda autour d'elle.

Marion, sa nouvelle servante, n'était pas présente à son lever.

4

– Lucie, pourquoi ce chien m'a-t-il mordu ? Je ne lui ai rien fait !

– C'est une sale bête ! Il mord tout le monde. Même la marquise ! Elle le laisse dévorer ses jolies mains en riant. Elle prétend qu'il joue. Il faut toujours le surveiller quand tu t'approches d'elle. Il est jaloux comme un tigre ! Même le roi s'en méfie.

Brisée par la douleur, Marion avait dormi bien plus qu'à son habitude. Elle avait eu chaud, et puis froid jusqu'aux os. Lucie l'avait veillée et soignée. Marion avait tout de suite donné sa confiance à cette petite rouquine de seize ans. Plutôt ronde, elle avait des yeux verts très doux et des milliers de taches de rousseur. Au service de la favorite depuis deux ans, elle avait su se faire aimer de tous.

Marion essuya les grosses larmes qui roulaient sur ses joues :

— Je voudrais voir mon père. J'étais si bien chez nous ! Je ne comprends rien à tout ce qui s'est passé hier soir.

— La marquise craint le diable. Elle reçoit sans cesse des astrologues et des voyantes, qu'elle paie grassement ! Ils lui racontent des balivernes, et le pire, c'est qu'elle y croit. L'une des voyantes est une vraie sorcière… Elle lui a dit qu'elle mourrait par une nuit d'orage. Alors, maintenant, la marquise a une peur affreuse des orages. Essaie de ne plus penser à ça. Rendors-toi. Je suis sûre que tu t'habitueras vite à ta nouvelle vie. On est toutes passées par là.

Lucie prit Marion dans ses bras. En se laissant bercer, celle-ci serrait dans sa main la petite médaille de Marie. Depuis quatre ans, elle la portait en permanence à son cou. Quatre ans déjà que sa maman était morte. Elle lui manquait cruellement. La fillette ferma les yeux et laissa encore couler ses larmes.

Afin que Marion se repose, Lucie travailla pour deux. Quatre jours plus tard, son amie allait mieux et pouvait marcher. Elle avait beaucoup souffert de sa blessure, mais aussi de devoir rester enfermée dans cette chambre triste et basse de plafond. Le grand air et les beaux arbres du parc lui manquaient. Pour la consoler, Lucie allait souvent faire un tour en cuisine et lui rapportait en cachette un fruit confit ou un biscuit.

Ce soir-là, grâce à la complicité de Martin

Taillepierre, un jeune cuisinier, elle put choisir quelques bons morceaux dans les plats qui revenaient de la table de la marquise.

– On dirait qu'il t'aime bien, Martin ! remarqua Marion en dénouant le grand torchon qui enveloppait leur repas.

Lucie devint rouge jusqu'au bout des oreilles. En riant, elles dévorèrent des blancs de perdrix fricassés aux asperges, un petit pâté de brochet, du pain blanc et un demi-pot de confiture. Un vrai festin !

– Ma foi, tu as bon appétit ! Ça fait plaisir !

Lucie but un grand verre d'eau et ajouta :

– Dépêchons-nous, la marquise veut toutes ses femmes autour d'elle avant son coucher. C'est l'heure où elle choisit ses occupées.

– Ses occupées ?

– Habille-toi et allons-y. Je t'expliquerai en chemin.

Marion abandonna la chemise que Lucie lui

avait prêtée et enfila sa vieille robe. Son amie lui noua un tablier autour de la taille. C'était un cadeau. Certes, il n'était pas neuf, mais il était propre et bien repassé. Marion sauta au cou de Lucie pour la remercier et lui déposa un gros baiser sonore sur chaque joue. Ensuite, elle releva ses cheveux, ajusta son bonnet et mit ses sabots.

Dans les beaux appartements régnait une agitation familière. Marion respira les odeurs qui montaient des cuisines, écouta le doux craquement des parquets, les éclats de rire des valets, en bas, dans la cour intérieure, les disputes des repasseuses et des chambrières au fond de la lingerie.

Elle était guérie. À chaque pas qu'elle faisait, elle sentait ses forces et son goût de vivre lui revenir.

Juste avant d'arriver à la porte de la chambre d'Athénaïs, Lucie l'attira dans un recoin.

– Si tu es choisie ce soir…

– Choisie pour quoi faire ? l'interrompit Marion, intriguée.

– Pour veiller sur le sommeil de la marquise. Elle a horreur de la solitude, surtout la nuit. Toujours les mêmes diableries que ces charlatans d'astrologues lui ont fourrées dans la tête ! Alors, il lui faut de la compagnie. Les occupées portent bien leur nom, tu sais. On doit passer toute la nuit dans la chambre à surveiller les bougies pour les remplacer dès qu'elles meurent. Elle veut qu'il y ait de la lumière et de la vie autour d'elle, au cas où elle se réveillerait. Et elle se réveille souvent ! On ne doit jamais rester sans rien faire. Alors, on se raconte les derniers potins de la cour, on parle de nos galants, on fait de la broderie, on joue, on mange. Bref, on s'occupe ! Mais, attention ! pas question de s'endormir… Cela ne devrait pas être un problème pour toi. Je n'ai jamais vu quelqu'un dormir si peu. C'est sûrement pour ça que tu es maigre comme un chat mouillé !

À ce moment-là, les autres domestiques commencèrent à entrer dans la chambre d'Athénaïs. Lucie et Marion se joignirent à elles.

5

– Mesdemoiselles, le roi est à Fontainebleau ! Il sera de retour à Versailles demain matin. Et, pour célébrer la victoire de ses armées en Franche-Comté, Sa Majesté donnera une grande fête, dont la magnificence dépassera tout ce que l'on a pu voir auparavant. Six journées de réjouissances sont prévues, réparties sur les deux mois d'été. La première est fixée au 4 juillet. C'est vous dire le peu de temps qu'il nous reste pour être prêtes ! Mademoiselle des Œillets, vous veillerez à ce que le tailleur et les couturières soient ici demain matin, à la première heure.

La favorite arpentait sa chambre, brandissant comme un trophée la lettre de Louis XIV.

Les servantes et les femmes de chambre, d'abord interdites par tant de confidences, commencèrent à chuchoter entre elles, laissant peu à peu transparaître leur joie. Marion serra très fort la main de Lucie. Elle se souvenait parfaitement du divertissement royal de 1668, auquel elle avait assisté, de loin il est vrai, avec Marie et Antoine. Cette fois, c'est de beaucoup plus près qu'elle verrait la fête. Au service de la Montespan, elle serait sûrement dans tous les petits secrets des préparatifs…

Ce soir-là, Athénaïs portait une robe de nuit en soie blanche qui virevoltait et bruissait délicatement à chacun de ses mouvements. Elle était chaussée de mules à hauts talons, garnies de plumes de cygne. Un peignoir de fin velours azur rehaussait les reflets dorés de ses longs cheveux défaits.

Même sans fard, Marion la trouvait magnifique.

Après s'être lancée dans un monologue à la gloire de ce roi conquérant, louant son habileté à mener une bataille et sa vaillance au combat, la marquise conclut en affirmant haut et fort que Louis XIV était décidément le plus grand roi du monde.

Il était presque minuit lorsqu'elle se résolut à se coucher. Pyrrhos, qui à deux reprises était venu renifler les robes des femmes de chambre en grognant, sauta aussitôt sur le lit pour la rejoindre. Finalement, la favorite appela Claude des Œillets et lui chuchota à l'oreille :

– La petite en sabots, et elle seule. Ah ! Convoquez aussi mon astrologue pour demain matin, dix heures.

La dame d'honneur s'approcha du groupe des

servantes, qui depuis un bon moment déjà rete-
naient leurs bâillements.

– C'est toi qui restes, Marion. Et elle seule, annonça-t-elle en tournant son regard glacial vers les
autres filles.

Lucie fit un clin d'œil à son amie et disparut.

La marquise était calée dans ses oreillers,
Pyrrhos à ses pieds. La des Œillets donnait des
ordres pour que l'on apporte une collation.
Marion se sentit minuscule et misérable dans
cette chambre qui, vidée de son agitation coutu-
mière, lui parut soudain immense et d'un luxe à
couper le souffle. Athénaïs avait un goût exquis,
et le roi était très généreux. Tout ici était précieux. À cette heure tardive, la moindre chose reprenait sa vraie valeur dans le silence et l'espace
rendus à ce lieu.

Marion n'osait ni bouger ni parler. Enfin,
Claude des Œillets lui fit signe d'approcher. À la
grande déception de la fillette, elle ne lui apprit

rien de plus que Lucie. Elle insista seulement sur le fait qu'il n'était pas question de s'endormir.

— La collation de la nuit ne va pas tarder à monter des cuisines. Tu peux prendre ce que tu veux. Mais, attention, si tu manges trop, ce qui ne doit pas t'arriver souvent, tu t'assoupiras. N'oublie pas que tu seras seule jusqu'au matin. Il n'y aura personne pour te secouer !

— Je ne m'endormirai pas, Madame, j'ai l'habitude.

— C'est ce qu'elles disent toutes, lança la des Œillets. La place est bonne à prendre, mais difficile à garder, je préfère te prévenir.

— Je sais que je ne dormirai pas, Madame.

— Petite prétentieuse ! Nous verrons cela demain.

Marion alla s'asseoir sur un tabouret que la dame d'honneur lui désigna d'un geste vague. Devant elle, sur une console, était posé un canevas qu'une autre fille avait dû commencer au cours d'une longue nuit de veille. Le travail était irrégulier, et les écheveaux aussi emmêlés que si un chaton y avait mis les pattes. Tout cela sentait la lutte acharnée contre le sommeil. Marion entreprit de remettre un peu d'ordre dans les fils ; elle s'attaquerait au canevas plus tard.

La collation arriva bientôt sur une petite table que deux valets déposèrent près d'elle.

La fillette écarquilla les yeux et les narines devant le poulet rôti, la tourte aux œufs durs, la compote, les pâtes de fruits et la cruche de lait d'orgeat.

– Deux festins le même soir ! dit-elle tout bas. Madame des Œillets a raison, je vais sûrement m'endormir sur cette maudite tapisserie.

Les rideaux du grand lit à baldaquin étaient fermés, isolant la marquise et Pyrrhos du reste du monde. Marion commença par changer trois bougies qui étaient sur le point de rendre l'âme.

De nouveau installée sur son siège, la fillette

pesta contre les dizaines de nœuds qu'elle avait à démêler dans ces paquets de fils.

Soudain, elle sursauta. À son grand étonnement, elle vit Athénaïs se lever, chausser ses mules et, Pyrrhos sur ses talons, se diriger vers un petit cabinet, un très beau meuble tout en marqueterie. Elle en sortit un joli coffret de bois vernis, puis avança vers Marion, qui se leva aussitôt et esquissa une révérence.

– Ouvre donc cette boîte. Si ton père a dit vrai, tu as mieux à faire chez moi que cette broderie ridicule, déclara-t-elle en déposant la boîte sur la console.

Lentement, la fillette s'était approchée. La Montespan la considéra de plus près :

– Juste ciel ! Tu as vraiment une allure misérable dans cette robe. Tu es à faire peur !

Marion ne broncha pas. Comme hypnotisée, elle tourna la petite clef dorée dans la serrure et souleva le couvercle.

6

Trente-deux flacons étaient alignés sur quatre rangées, remplissant les trois quarts du coffret. L'espace restant était occupé par quelques accessoires de parfumeur. Marion effleura du bout des doigts les bouchons de verre des petites fioles.

– Des essences ! Merci, Madame, murmurat-elle avec tant d'émotion dans la voix que la Montespan parut en être touchée.

La fillette souleva un à un les flacons pour voir les étiquettes.

– Lavande… romarin… rose… Fleur d'oranger, c'est mon parfum préféré ! annonça-t-elle en souriant.

Mais elle s'arrêta net en voyant l'air stupéfait de la marquise.

– Tu sais lire ! Qui t'a appris ?

– Je sais écrire aussi, répondit Marion, un brin de fierté dans la voix, en délaissant les flacons pour caresser discrètement sa médaille. C'est ma mère qui m'a enseigné tout ce que je sais. Mon père pensait que j'avais bien le temps, mais elle disait toujours le contraire. À croire qu'elle devinait ce qui l'attendait.

– Ton père s'est bien gardé d'ajouter cela au nombre de tes qualités !

La Montespan avait l'air furieux, et Marion n'ignorait pas pourquoi. Les nobles n'aimaient pas que les gens du peuple en sachent autant qu'eux.

La marquise retourna vers le petit cabinet et rapporta un deuxième coffret ainsi qu'une bouteille d'esprit-de-vin.

— En matière de parfum, j'espère que tu sauras te montrer à la hauteur. J'aimerais que tu composes pour moi une eau de senteur qui s'accordera avec les heures chaudes de l'été. Ces coffrets contiennent toutes sortes d'essences, et voici de l'alcool, lui dit-elle en posant la bouteille à côté des boîtes. Au travail !

Dans une envolée de soie blanche, Athénaïs fit demi-tour et aperçut Pyrrhos, assis sur son arrière-train, qui faisait le beau devant le poulet rôti. Elle s'approcha en minaudant, arracha une aile et la lança en l'air. D'un bond prodigieux, l'épagneul l'attrapa au vol et l'emporta sur une descente de lit pour la dévorer à son aise.

Marion travailla toute la nuit sans voir passer les heures. Elle faillit en oublier de remplacer les bougies. Le premier coffret contenait des essences végétales, plus légères que les senteurs animales, capiteuses et épicées, que recelait le deuxième. Elle avait commencé par ouvrir tous les flacons, l'un après l'autre, pour sentir leur contenu. Plusieurs parfums lui étaient inconnus. Maintenant qu'elle les avait respirés, elle était capable de s'en souvenir pour l'éternité. Elle les reconnaîtrait, même finement dosés, dans n'importe quelle composition.

L'aube pointait à peine quand elle posa sur la console un joli flacon de cristal rempli d'un liquide aux reflets dorés. Marion était heureuse. Le parfum était prêt. C'était une senteur unique et délicieuse, évoquant un bouquet fleuri, tendre et raffiné.

— Madame la marquise sera contente, dit-elle tout bas.

À cet instant, elle eut la sensation de mourir de faim. Elle entama la tourte aux œufs durs, continua par une cuisse de poulet et vida la moitié du pichet de lait d'orgeat.

Confortablement installée dans un fauteuil tendu de soie bleue, qu'elle s'était autorisée à occuper, elle suçota des pâtes de fruits en attendant le réveil de la favorite.

Dehors, l'activité reprenait doucement. Le château s'éveillait. Bientôt, les pas des femmes de la marquise se firent entendre derrière la porte. D'un bond, Marion retourna s'asseoir sur le tabouret et se remit à démêler les écheveaux.

Lucie entra la première. Elle se dirigea à pas de loup vers son amie et la serra dans ses bras :

– Tu n'as pas dormi ! Je le savais ! C'est la des Œillets qui va être surprise !

La dame d'honneur entra et ouvrit les rideaux du lit. Après s'être assurée que la nuit avait été bonne, elle annonça que le tailleur venait d'arriver. La marquise était d'excellente humeur. Elle appela Marion, qui lui tendit aussitôt le flacon. Délicatement, Athénaïs déposa une goutte de parfum au creux de son poignet et le respira.

– Cela me plaît. Voilà une senteur qui s'accordera parfaitement avec les journées de fête que le roi nous offre.

Puis, s'adressant à Claude des Œillets, elle ajouta :

– Cette petite fait désormais partie de mes occupées. Conduisez-la chez les lingères, et qu'on lui donne des vêtements dignes de ma maison.

Marion remercia et quitta la chambre. Les regards en coin et les chuchotements des autres servantes sur son passage ne lui échappèrent pas.

En se rendant à la lingerie, elle ressentit une vraie tendresse pour la marquise, dont les yeux bleus étaient, à n'en pas douter, des fenêtres ouvertes sur un océan de douceur et de bonté.

En effet, n'avait-elle pas essayé de la protéger en la prenant dans ses bras le jour de l'orage ? Ne lui avait-elle pas permis de se reposer pendant plusieurs jours après sa blessure ? En l'associant à la grande nouvelle du retour du roi à Versailles, ne la faisait-elle pas participer à la vie de la cour, elle, la plus humble de ses servantes ? Enfin, avec ces coffrets, elle lui offrait la chance de vivre sa passion des parfums…

Cette femme était si bonne que Marion en était toute bouleversée. Elle se sentait prête à la servir avec le plus grand dévouement. Pour elle, Athénaïs n'avait pas seulement un visage angélique. C'était un ange.

Si Augustine Lebon et Antoine, à qui elle devait d'être au service de la favorite, avaient été là en cet instant, ils lui auraient sûrement fait entendre que les anges existent peut-être au ciel… mais pas sur terre.

7

La nouvelle du retour du roi avait donné aux appartements de la favorite des allures de ruche ; et principalement à la lingerie. Tout ce que la maison comptait de domestiques, ou presque, y bourdonnait.

Marion serait passée inaperçue au milieu de toute cette agitation si, en entrant dans cette grande pièce aux murs blancs, Claude des Œillets n'avait pas claironné :

— Mathilde, donne un costume à cette petite qui

vient de nous arriver. La marquise l'a choisie pour être de ses occupées.

Une grosse femme d'une soixantaine d'années, rouge de figure, le cheveux gris et l'œil mauvais, quitta la table où elle pliait des draps. Elle alla en se dandinant jusqu'à une petite penderie. Il y avait là, pêle-mêle, des robes de toile couleur brique, des chemises fines, des tabliers, des jupons et des bas de coton, des bonnets bouffants discrètement brodés et des souliers.

Marion écarquilla les yeux. La robe que Mathilde venait de poser sur une chaise était désormais la sienne. C'était une simple robe de servante, la même que celle de Lucie et des autres, mais elle la trouvait si belle ! C'était sa première vraie robe !

– La marquise choisit ses occupées au berceau maintenant ! Essaie ça, toi. C'est ce que j'ai de plus petit.

— Ici ? Devant tous ces gens ? s'inquiéta Marion.

— Et pourquoi non ? Ils en perdront pas la vue, surtout qu'à ce que je vois, t'as pas grand-chose à montrer.

La lingère éclata d'un rire gras, offrant à tous les regards le triste paysage de sa bouche édentée.

À regret, Marion se déshabilla. Vêtue seulement de ses pauvres dessous, elle tendit la main pour saisir sa nouvelle tenue. Mais Fiacrine, une autre lingère, attrapa la robe avant elle et s'approcha de Mathilde en souriant d'un air niais :

— Elle est pas bien ragoûtante, la petite nouvelle, avec ses nippes rafistolées. Il faudra dire à la marquise qu'elle achète aussi des dessous à ses occupées. À voir le nombre de coutures sur sa culotte, cette gamine doit s'user les yeux à la raccommoder ! Quel dommage ! Ses quinquets, c'est ce qu'elle a de mieux. Pour le reste, sa mère l'a pas gâtée ! Regarde comme elle est maigre ! Je

parierais gros qu'à son âge c'est toujours une en-
fançonne qui n'a pas encore vu ses premières
lunes…

– Donne-moi cette robe ! Mathilde et toi, vous
n'êtes que des vipères ! se révolta Marion.

Un éclat de rire parcourut la pièce. Marion se
sentit envahie par une colère aussi grande que son
envie de pleurer.

Les dents serrées à s'en faire éclater les mâchoires, les yeux fermés, elle cherchait la force de
résister. Pas une larme ne devait s'échapper…

Lorsqu'elle rouvrit les paupières, l'œil sec
mais la tête pleine des battements de son cœur,
tous les regards étaient braqués sur elle.

Avant qu'elle ait pu esquisser un geste pour
reprendre sa robe, sa tête se mit à tourner. Une
immense nausée la submergea. L'odeur qu'elle
détestait le plus emplit sa bouche, se mêlant
aux relents d'amidon, de feu de bois, de crasse et
de transpiration qui flottaient dans la lingerie.

Elle s'aperçut alors qu'un filet de sang coulait de ses narines.

– Ventrebleu ! s'écria la Mathilde en lui plaquant un mouchoir chiffonné sur le visage. J'ai bien l'impression que ses lunes lui sortent du nez !

– Lâche-moi, sorcière ! hurla Marion en se débattant.

– Vous en avez profité alors que j'étais occupée à la toilette de la marquise ! s'écria Lucie, qui venait d'entrer et se frayait un chemin parmi les curieux et les piles de linge. Toi, la Mathilde, tu n'es qu'une pisse-vinaigre ! Tu m'avais promis de la laisser tranquille ! Et vous tous, là, à regarder ! Vous imaginez peut-être qu'elle en a pas eu assez, avec cette charogne d'épagneul qui l'a mordue !

– Eh ! Tout doux, ma jolie ! reprit la lingère. Si on peut plus s'amuser un peu ! J'y suis pour rien, moi, si elle saigne. Ou alors, ce serait bien la première fois que je fais couler du sang autrement qu'en égorgeant une volaille ! Elle a pas de santé, cette petite, voilà tout !

Mathilde et Fiacrine retournèrent à leur ouvrage en haussant les épaules. En un clin d'œil, chacun reprit son travail, comme si rien ne s'était passé.

Le tailleur et les trois couturières avaient attendu longtemps dans la lingerie, assis sur des ballots de linge sale. En les accompagnant jusqu'à la chambre de la marquise, Claude des Œillets pensa que cette sorte de rituel, instauré par les vieilles servantes pour accueillir les nouvelles, était un peu cruel…

Marion était livide. L'odeur maudite du sang ne s'estompait pas. Lucie l'aida à s'habiller et l'entraîna hors de la lingerie.

Sur le palier de l'escalier de service, elles croisèrent une longue femme en noir.

— Voilà la sorcière, souffla Lucie. Je l'ai surnommée « le spectre ». Le tailleur vient à peine d'être reçu. Elle va attendre un bon moment. Bien fait pour elle !

Marion se retourna pour voir « le spectre » se diriger vers le petit salon d'Athénaïs, puis elle tendit ses vieux vêtements à son amie.

– Peux-tu déposer ça sur mon lit, s'il te plaît ? Je dois partir.

Elle fit aussitôt demi-tour et dévala les marches jusqu'à la porte de la cour. Lucie se précipita vers la rampe et se pencha au-dessus du vide pour apercevoir son amie.

– Marion, attends-moi ! Où vas-tu ?

8

De la pointe du couteau, Antoine traça machinale-
ment une croix sur l'envers de la grosse miche de
pain frais. Il commençait à en tailler d'épaisses
tranches quand Gaspard Lebon entra dans la
cuisine :

– La petite arrive ! Augustine, rajoute une
assiette !

Antoine bondit sur le pas de la porte, juste à
temps pour recevoir Marion dans ses bras. Il la
serra très fort et la fit tournoyer en l'embrassant.

Puis il la reposa à terre en souriant et l'éloigna un peu pour mieux la regarder.

— Ta robe est jolie, elle te va bien. Mais tu es si pâle ! Tu n'es pas malade, au moins ? Personne n'est venu chercher ton baluchon ! Six jours sans nouvelles, on était tous inquiets, n'est-ce pas, Augustine ?

— Antoine, tu l'assommes avec tes questions. Viens m'embrasser, Marion. C'est vrai qu'elle est belle, ta robe, avec ce petit décolleté qui laisse voir la médaille de Marie. Prends bien garde à ne pas la perdre ! Tu vas manger un morceau avec nous, n'est-ce pas ? Au fait, elle te nourrit bien, ta patronne ? Raconte, j'ai hâte de savoir ce qui se passe chez la Montespan !

— Rassure-toi, répondit Marion. Sa table est si richement pourvue qu'il en revient les trois quarts en cuisine. De quoi nourrir toute sa maison !

Elle alla se blottir contre son père et raconta

tout ce qui s'était passé depuis six jours. Tout, sauf l'humiliation qu'elle venait de subir.

Antoine fronça les sourcils en entendant parler de l'orage et du chien. Augustine et lui voulurent s'assurer que la blessure était guérie. Ensuite, tout le monde s'installa autour de la grande table et mangea de bon appétit.

Le repas terminé, chacun retourna travailler. Avant de rejoindre son père à l'orangerie, Marion se promena parmi ses chers orangers, dont certains étaient en fleur. Les feuilles luisantes, l'écorce, la terre, et même le bois des caisses dans lesquelles ils étaient plantés, tout cela dégageait de merveilleuses odeurs, dont elle était la seule à profiter aussi pleinement. Marion était heureuse de se retrouver chez elle. Ce qu'elle respirait là, c'était le doux parfum de son enfance. Pendant qu'Antoine, perché sur une échelle double, rectifiait la taille de quelques branches, Marion entra discrètement dans la grande galerie de l'orangerie. Celle-ci était vide. En cette saison, tous les orangers avaient été transportés à l'extérieur. Tous, sauf le Connétable, qui nécessitait des soins particuliers. Ce très vieil arbre au tronc noueux, aux feuilles larges et foncées, était un héritage du roi François Ier. Quel contraste avec les jeunes arbustes devant lesquels Marion s'attarda un moment ! Ils étaient taillés en boule, comme les grands, mais ne dépassaient pas une cinquantaine de centimètres. Ces orangers miniatures étaient le dernier caprice du roi en matière de jardinage, et c'était Antoine qui les avait créés.

En tournant sur elle-même pour jouer avec l'ampleur de sa jupe, Marion se rendit dans une petite remise froide et humide qui sentait un peu le moisi.

Les jardiniers y entassaient des planches, des pots de fleurs, des outils et de vieux vêtements. La fillette savait qu'elle y trouverait aussi des bouteilles vides. Elle en ramassa une, assez petite, qu'elle glissa dans la poche de son tablier. L'air très décidé, elle se dirigea ensuite vers le bureau de Monsieur Le Nôtre, le jardinier en chef.

C'était un homme de génie, respecté de tous et aimé du roi. Il venait là, presque en cachette, lorsqu'il avait besoin de travailler au calme. Entouré des arbres qu'il affectionnait, il dessinait alors la perspective d'un parterre ou les arabesques d'une fontaine.

Aux murs, une multitude de petits pots en terre cuite s'alignaient sur des étagères. Il y avait là des boutures et des semis de diverses plantes qui étaient à l'étude. Sur la grande table de travail, des rouleaux de papier attendaient le regard du maître au milieu de tout un attirail de plumes, de fusains, de mines et de bouteilles d'encre.

Marion chercha des yeux une feuille et un tabouret, puis elle s'installa sur un coin de table pour écrire. Jamais elle n'aurait osé s'asseoir dans le fauteuil de Monsieur Le Nôtre ! En revanche, elle n'hésita pas à lui emprunter une plume et de l'encre. Avec beaucoup d'application, elle commença à tracer ses lettres.

En quelques mots, elle confia au papier sa joie d'avoir composé un parfum pour la favorite, mais aussi les souffrances que lui avait valu sa nouvelle robe.

La cruauté des lingères, qu'elle ne comprenait pas. L'indifférence des autres, car personne, hormis Lucie, ne l'avait défendue... Les larmes aux yeux, Marion leva la tête et réfléchit un instant. Pour qui se prenaient donc toutes ces filles ? Se pouvait-il qu'elles aient oublié leurs origines et, pour la plupart, leur passé de misère ?

Marion roula soigneusement la petite feuille et la glissa à l'intérieur de la bouteille.

En sortant de l'orangerie, elle cueillit une fleur d'oranger en bouton et alla dire au revoir à Augustine et Gaspard. Elle en profita pour emporter son baluchon. Un peu triste, Antoine la serra dans ses bras et la regarda s'éloigner en direction du parc. Il se demanda quand il la reverrait.

9

Marion suivit des sentiers jusqu'à un endroit retiré du parc, loin des allées où se pavanaient les courtisans enrubannés. La nature lui manquait tellement depuis qu'elle était au service de la marquise ! Au palais, elle tentait de résister, sans rien dire, aux odeurs monstrueuses qui l'agressaient. Depuis ce matin, elles lui étaient devenues insupportables. Était-ce l'odeur du sang ? Celle de la lingerie, écœurante et détestable entre toutes parce que associée à tant d'émotions ? Celle de la mort, qui collait à la peau de cette femme en noir croisée sur le palier ? Celle des immondices qui jonchaient le sol de la cour, qu'elle avait traversée en courant, poursuivie par le rire des laquais ?

En fermant les yeux, elle inspira à pleins poumons l'air léger et parfumé du sous-bois. Elle sortit la petite bouteille de son tablier, fit glisser à l'intérieur la fleur d'oranger et remit le bouchon. Depuis la mort de sa mère, Marion, qui parlait peu, avait pris l'habitude de livrer le moindre de ses secrets aux grands arbres du parc royal. Il lui suffisait d'une bouteille, de quelques mots griffonnés sur une petite feuille et d'une fleur d'oranger, fraîche ou séchée, qu'elle y ajoutait toujours. C'était une sorte de cadeau, une manière d'offrir à l'arbre qui acceptait ses messages le plus doux des parfums, celui qu'elle préférait entre tous.

Son regard se posa sur un grand chêne. À son pied, elle arracha trois poignées d'herbe et creusa la terre de ses mains. Elle était sèche, légère et coulait entre les doigts. Elle sentait bon aussi.

La fillette enfouit la bouteille dans le sol et se releva en soupirant. Elle était soulagée. C'était comme si elle venait de déposer un fardeau trop lourd pour ses frêles épaules.

Le dos appuyé contre le tronc, elle regarda le ciel scintiller à travers le feuillage et se laissa glisser jusqu'à terre.

Bercée par les parfums d'herbe, de mousse et de bruyère, la tête posée sur son baluchon, elle s'endormit, sereine… Elle savait que la sève printanière porterait ses mots des racines jusqu'à la cime du chêne. De branche en branche, de feuille en feuille, les grands arbres chuchoteraient ses secrets au gré du vent… Ils emporteraient vers le ciel les tourments, les bonheurs et les rêves qu'elle avait confiés à la terre de Versailles, comme un marin perdu met toute sa souffrance et ses espoirs dans une bouteille qu'il lance à la mer.

10

Quand Marion se réveilla, l'après-midi était bien
avancée. Attirée par quelques lointaines notes de
musique, elle s'était approchée du grand canal.
Tous les vaisseaux de la flottille royale paradaient
devant le roi. Marion les connaissait bien, Antoine
les lui avait décrits à maintes reprises. Chaloupes,
brigantins et felouques rivalisaient de couleurs
éclatantes. Leurs reflets sur l'eau jouaient avec la
lumière du soleil, qui à cette heure hésitait entre
l'or et l'orangé. Il y avait même deux galiotes avec

de vrais galériens à leur bord et un navire de guerre miniature avec ses canons, ses sculptures, ses cordages et son pavillon aux armes du roi. Le vent faisait claquer les voiles et emportait vers Marion les cris des marins aux accents d'Italie et de Provence.

Deux gondoles dorées, rutilantes comme des écus tout neufs, constituaient les joyaux de la flottille. Ces deux merveilles avaient été offertes à Louis XIV, au nom du doge, par l'ambassadeur de la Sérénissime République de Venise et acheminées à grands frais jusqu'à Versailles.

Le roi naviguait à bord de l'une d'elles. Un magnifique panache ornait son chapeau, et son habit constellé de perles et de pierreries étincelait dans la chaude clarté de cette fin de journée. Assise à ses côtés, Athénaïs, resplendissante, agitait son éventail avec une grâce infinie. Ses bijoux incendiaient de mille feux la robe somptueuse qu'elle avait choisie pour le retour du roi. Un sourire radieux illuminait son visage de déesse.

La reine, petite et large, outrageusement fardée et littéralement couverte de pierres précieuses, était beaucoup moins souriante. Elle avait pris place dans la deuxième gondole, en compagnie du dauphin, de quelques dames et d'une ribambelle de chiens minuscules.

Les musiciens du roi, installés dans une chaloupe, suivaient les embarcations royales et jouaient les mélodies de Monsieur Lully. Sur les berges, courtisans, domestiques et curieux de tout poil interprétaient et commentaient le moindre geste des souverains.

Marion resta, elle aussi, un long moment à contempler le roi et la marquise, tels deux diamants dans un écrin d'or pur.

La fillette avait grandi dans le parc du château et admirait depuis toujours le spectacle fastueux de la cour du Roi-Soleil. Pourtant, il lui sembla que rien n'avait jamais été si beau qu'aujourd'hui. Ses pensées se mirent à vagabonder... Elle revoyait le matin de janvier, au début de cette année, où les gondoles avaient glissé pour la première fois sur l'eau glaciale du grand canal... Le roi, toute la cour et une foule compacte assistaient à l'événement. Émerveillée, Marion s'était promis qu'un jour un beau chevalier, un prince charmant – un roi peut-être – l'inviterait à prendre place à ses côtés sur la gondole de ses rêves... C'était une sorte de défi. Mais qu'une fille du peuple, une pauvre servante, puisse seulement imaginer cela, c'était une extravagance, un délire, une pure folie !

Jamais elle n'en avait parlé. À personne. Sauf, bien sûr, à la terre de Versailles, qui était sa confidente depuis quatre ans. Sa condition ne l'y autorisait certes pas, mais, secrètement, elle croyait en son avenir. Instinctivement, elle sentait que, pour forcer un peu le destin, il fallait nourrir des rêves fous...

Marion en était là de ses réflexions lorsqu'elle vit Lucie et Martin Taillepierre, main dans la main, se diriger vers elle.

— Te voilà enfin ! Où étais-tu passée ? demanda Lucie.

— À l'orangerie. J'avais envie de voir mon père.

— La marquise a appris la méchante comédie que les lingères t'ont jouée. Elle t'a fait chercher jusqu'à ce qu'elle parte en promenade avec le roi. Tu sais, il est venu la voir dès son arrivée au château !

— Avant même d'aller saluer la reine ?

— Oui, ma belle ! On dit partout que les festivités qui vont commencer dans quatre jours seront données en son honneur. La conquête de la Franche-Comté n'est qu'un prétexte ! Ce sera elle, la vraie reine de la fête !

— Regardez ! cria Martin. Les gondoles reviennent au bord. Allons-y ! Nous verrons le roi de plus près !

À trente-six ans, le roi passait pour être le plus bel homme du royaume. Marion et Lucie étaient bien de cet avis !

Il descendit de la gondole avec grâce et aida Athénaïs, qui portait Pyrrhos sous un bras, à mettre pied à terre. Se croyant sans doute seuls au monde, comme tous les amoureux, ils poursuivaient leur conversation.

Ignorant la foule qui se pressait autour d'eux, ils se dirigèrent vers les tables dressées sous les arbres pour le goûter.

Martin Taillepierre, qui savait jouer des coudes, s'était suffisamment rapproché pour les entendre. Lorsqu'il revint vers elles, Marion et Lucie l'assaillirent de questions.

— Ils n'ont rien dit d'important, affirma-t-il. Non, je vous assure, ils n'ont rien dit qui puisse vous intéresser…

— Tu te moques de nous ! coupa Marion, agacée.

— Il veut nous faire languir ! J'ai bien vu son sourire en coin, ajouta Lucie. Allons, raconte !

— Eh bien, le roi a promis de retrouver la marquise dans l'appartement des bains, ce soir sur les dix heures, pour y souper en sa compagnie. Il l'a aussi félicitée pour le parfum qu'elle porte et qu'il ne lui connaissait pas encore. Elle a répondu qu'il provenait de l'atelier d'un artisan florentin installé à Paris, très doué mais hors de prix. Sa Majesté a aussitôt promis une forte somme pourvu que son parfumeur continue à bien la servir.

— Le roi est encore plus généreux qu'on ne l'imagine, intervint Lucie.

— La dame est surtout très habile ! Je suis prêt à parier qu'elle perdra tout au jeu en une nuit, et que son Florentin ne verra jamais la couleur de cet or ! Bon ! Ça doit chauffer en cuisine ! Il faut que j'y retourne… Passez donc me voir à la rôtisserie après le souper. Il y aura encore de quoi vous régaler !

Martin partit en courant, et Lucie se tourna vers Marion :

– Qu'est-ce que tu en dis ?

– Un parfumeur de Paris…, répéta Marion d'une voix blanche. Lucie, quel parfum la marquise porte-t-elle aujourd'hui ? Tu étais à sa toilette, ce matin…

– Je ne sais pas. Elle se parfume quand le coiffeur a fini d'apprêter ses cheveux. J'étais déjà partie.

Marion partagea ses craintes avec Lucie ; puis, suivant la foule, les deux amies se rapprochèrent un peu du buffet dressé pour la collation.

Marion avait un plan…

11

Six grandes tables dessinaient un hexagone. Elles étaient recouvertes de grandes nappes blanches bordées de fine dentelle, qui tombaient jusqu'au sol. Entre chaque table, il y avait un grand oranger taillé en boule. À son pied, des corbeilles fleuries dissimulaient complètement le vase de porcelaine dans lequel il était planté. Des guirlandes de fleurs, de feuillage et de rubans savamment entrelacés rejoignaient le sommet de chaque arbre. Les orangers étaient chargés de toutes sortes de fruits de saison. Les invités pouvaient ainsi se servir en ayant l'impression de faire une cueillette miraculeuse sur un seul et même arbre.

Marion vit le roi s'éloigner d'Athénaïs, qui dévorait des yeux les tasses de sorbet. Il revint au bord de l'eau pour aider la reine à descendre de sa gondole. Elle esquissa un sourire pincé qui montrait son dépit d'être délaissée. En vérité, elle cherchait aussi à cacher ses vilaines dents.

Connaissant la faiblesse de son épouse pour les sucreries, Louis la conduisit directement vers la table où trônait un palais antique, fait entièrement de pâte d'amandes, de caramels et de fruits confits. Tout autour se dressaient de hauts flacons de cristal remplis de liqueurs et de sirops. Un peu plus loin, il y avait des montagnes de macarons, d'amandines au cassis, de choux à la crème et de biscuits de toutes sortes.

Sur une autre table, des pyramides de figues, de fraises et de cerises étaient élégamment disposées entre les bassines de confitures et de compotes parfumées.

Les yeux de la reine brillaient.

Marion regarda vers la table où s'étalaient les viandes rôties tout emplumées comme un paon qui fait la roue, les pâtés en croûte dorés à souhait et les tourtes odorantes. Pyrrhos ne devait pas être loin ! Mais elle n'aperçut que la marquise qui roucoulait. Très entourée, elle renversait la tête en riant de toutes ses dents et multipliait des effets d'éventail devant le roi subjugué.

Tout à coup, un valet portant une pile d'assiettes sales, surmontée d'une masse de déchets, trébucha et tomba aux pieds de Lucie. La vaisselle se fracassa sur le sol dans un vacarme épouvantable. Marion bondit en arrière pour éviter les éclaboussures de sauce. Le garçon pesta en voyant au milieu des débris les deux belles cailles qu'il avait cachées sous les restes pour en faire son dîner. À peine eut-il le temps de se relever et de réajuster sa livrée que Pyrrhos arriva. C'était ce que Marion attendait. En un éclair, l'épagneul attrapa une caille dans sa gueule et se coucha sur l'autre. Il se mit à grogner d'une manière si féroce que le valet lui abandonna son festin sans rien tenter. Les deux amies se baissèrent pour aider le malheureux à ramasser les brisures de porcelaine qui jonchaient le sol. Peu à peu, Marion se rapprocha de Pyrrhos dont les mâchoires broyaient la carcasse des volailles...

Le chien était imprégné du parfum de la marquise. Marion l'avait aussitôt reconnu : il n'était pas l'œuvre du Florentin ! Ce parfum, c'était bien celui qu'elle, et elle seule, avait fabriqué la nuit précédente !

12

– Que c'est beau ! s'émerveilla Marion en parcourant les grandes salles de l'appartement des bains.

– Ici, tout n'est que marbre, étoffes précieuses, or et argent. La marquise l'a voulu ainsi, et le roi a tout ordonné selon ses désirs, souffla Lucie. Suismoi, je vais te montrer les pièces de service. Ce soir, tu dois t'occuper de la composition des bouquets. Ordre de la marquise ! Elle veut que tu veilles à l'harmonie des parfums qui s'en dégageront. Des brassées de fleurs viennent d'être livrées à l'office. Vite ! Nous avons tant à faire avant l'arrivée du roi !

Dans le vestibule, Marion et Lucie finissaient d'apprêter les corbeilles de lys, de roses et de jasmin, sous le regard expert de Claude des Œillets, quand soudain la porte de l'appartement s'ouvrit à toute volée. La favorite, ruisselante de bijoux, entra comme une furie. Elle lança sa bourse de jeu et ses gants à la tête de la statue d'Apollon, puis traversa au pas de charge la salle de Diane. Ses hauts talons claquaient sur le sol de marbre, et ses boucles dorées rebondissaient autour de sa tête comme autant de ressorts affolés. Dans l'intonation de sa voix Marion perçut un étrange vibrato qui trahissait sa rage.

– Le roi ne viendra pas ! Il a changé d'avis et soupera en privé chez sa femme !

– La reine est-elle souffrante ? demanda la

des Œillets, qui suivait avec peine la favorite dans l'enfilade des salons.

– Non ! Sa Majesté est fâchée, voilà tout ! J'ai perdu six millions à la bassette. Ce jeu stupide ! J'en ai regagné quatre presque aussitôt, et pourtant le roi m'en veut ! Pour deux millions qu'il devra payer sur sa cassette ! Qu'est-ce que deux millions de livres pour le roi de France ? Une bagatelle !

Marion écarquilla les yeux. Plusieurs vies de labeur ne suffiraient pas à son pauvre père pour gagner ce que la marquise appelait « une bagatelle ».

Athénaïs pénétra en fulminant dans le cabinet d'angle, où la table avait été dressée pour le souper. D'un revers de main, elle balaya une magnifique pyramide, dont les fruits roulèrent en désordre sur le sol. Pyrrhos courait dans tous les sens, ne sachant où donner des crocs.

Sa confidente toujours sur les talons, la favorite entra dans la chambre des bains, qui faisait suite au salon d'angle, et s'effondra, en larmes, sur le grand lit. L'épagneul sauta sur la courtepointe et déposa triomphalement une orange aux pieds de sa maîtresse. La marquise cessa de pleurer.

Une orange... Ce fruit solaire lui apparut comme une révélation. En un instant, elle se ressaisit et retrouva son visage d'ange :

– Il suffit ! Je suis une Mortemart ! Une des plus grandes familles de France ! Une Mortemart ne doit point se laisser aller pour de telles futilités. La reine est laide, et sa conversation ennuyeuse à mourir. Le roi me reviendra ! Dans deux jours, tout au plus, le Soleil sera de nouveau à mes pieds ! Ah ! Ces émotions m'ont donné faim. À table !

À ces mots, Marion, Lucie et tous les autres se remirent à l'ouvrage. Bientôt la marquise fut servie comme une reine. Le souper était somptueux. Marion, qui aidait au réchauffoir, se régalait des parfums de tous les plats qui défilaient devant elle.

Passèrent en premier sous son nez des pâtés d'alouettes à l'orange, une tourte de crêtes de coq aux morilles, des carpes confites au coulis d'écrevisses, un énorme brochet au safran, et un ragoût de veau qui sentait bon le fenouil. Puis vinrent les faisans rôtis aux figues, un chapon farci au lard et aux truffes, un gros jambon piqué de clous de girofle et un quartier de mouton à la fleur de thym. On apporta ensuite des mets plus légers, des asperges et des artichauts fricassés, des petits pois aux fines herbes et des salades parsemées de fleurs de violette. Une superbe pyramide de fruits fut reconstituée et servie en même temps que les croquembouches à la crème d'amande, les tranches de melon frit, les macarons aux framboises et les gaufres à la confiture de roses. Athénaïs dégusta ensuite des beignets dégoulinant de miel, avec la gourmandise nonchalante d'une sultane de harem. En l'observant à la dérobée, Marion comprit qu'elle cherchait à noyer son dépit, non plus dans les larmes, mais dans l'excès de nourriture, le vin de Champagne et les liqueurs fortes.

Finalement, les pêches au ratafia et les cerises caramélisées recouvertes d'écorce de citron vert eurent raison de son bel appétit.

Tout à coup, son teint vira au gris, puis au jaune. Elle réclama une bassine et sa chaise percée. Les servantes et les valets se regardèrent, stupéfaits. Malade, la marquise ?

Trois d'entre eux coururent chercher la chaise dans la garde-robe et l'installèrent dans la chambre des bains. Athénaïs s'y rendit avec peine, soutenue par deux femmes de chambre.

La beauté triomphante, la reine de cœur du plus grand roi du monde se tordait de douleur sur sa chaise percée. La tempête grondait au plus profond de ses nobles entrailles. Son ventre d'hirondelle se relâchait, et cette débâcle n'avait d'égale que la violence des jets de vomissure qui manquaient l'étouffer… Marion pensa qu'il y avait une justice.

La belle Athénaïs était bien punie de ses excès...
et de ses mensonges, aussi.

L'odeur pestilentielle qui flottait dans la
chambre des bains était proprement insupportable,
surtout pour Marion.

Jugeant la marquise en état de grande faiblesse,
Claude des Œillets décida de faire appel au sieur
d'Aquin, médecin du roi. Marion saisit l'occasion
de s'éloigner de cet endroit nauséabond en proposant d'aller le chercher.

Toute la soirée, une pensée l'avait obsédée :
certes, elle avait toujours de la reconnaissance
envers Madame de Montespan, mais depuis
quelques heures la confiance s'était teintée de
dépit. C'était à n'y rien comprendre ! Pourquoi la
favorite avait-elle trompé le roi au sujet du
parfum ? Quel profit espérait-elle tirer de ce
mensonge ?

13

Il était une heure du matin. La galerie basse du château était sombre et inquiétante. Marion s'avança dans l'obscurité en protégeant d'une main la flamme vacillante de sa bougie. Où ce passage allait-il la mener? Lucie lui avait bien expliqué comment se rendre chez d'Aquin. Mais, dans le noir, il n'était pas facile de s'orienter!

Un bruissement d'étoffe… Marion sursauta. Tout d'abord, elle ne vit rien. Puis elle aperçut un couple d'amoureux cachés dans l'ombre d'un pilier. Dans le petit halo de clarté que lui prodiguait sa bougie, elle traversa plusieurs corridors. Elle entendait au-dehors le piétinement des chevaux sur le pavé, le crissement des roues des carrosses sur les graviers et les rires de ceux qui revenaient de quelque théâtre parisien. Elle ne rencontra que des chiens errants qui levaient la patte sur les colonnades de marbre. Au pied d'un escalier, deux hommes ivres morts étaient couchés à même le sol, la perruque à la main, et ronflaient bruyamment. Ils empestaient le tabac, la crasse et le mauvais vin.

Marion était écœurée. Elle qui croyait ménager son nez en s'éloignant de la chambre de la marquise !

Monsieur d'Aquin logeait au deuxième étage. Le couloir étroit qui conduisait à son appartement était plein de fumée et d'une odeur de graillon à vous donner la nausée.

« Troisième porte à gauche », avait dit Lucie.

Marion frappa. En un éclair, le visage du médecin apparut dans l'entrebâillement.

– Que veux-tu ? demanda-t-il d'une voix pâteuse.

La jeune fille resta sans voix sur le pas de la porte. L'odeur monstrueuse du sang l'assaillait de nouveau. Du sang séché qui sentait la poussière et la mort.

– C'est mademoiselle des Œillets qui m'envoie. La marquise de Montespan s'est trouvée mal. Elle a une indigestion d'avoir trop mangé et…

– Et quoi ? Es-tu médecin pour donner ainsi ton avis ? Assieds-toi là et attends.

Marion entra dans la pièce éclairée seulement par deux bougies et regarda d'Aquin qui rassemblait ses affaires en maugréant :

– À peine rentré, voilà qu'il faut repartir ! Ils vont finir par me tuer, avec leurs vapeurs et leurs indigestions ! Ma foi, le brave homme que je viens de quitter, lui au moins, n'en souffrira plus, Dieu ait son âme !

Cinq minutes plus tard, ils étaient au chevet de la marquise. Le teint cireux, elle paraissait sans connaissance. Ses femmes l'avaient installée dans le grand lit de la chambre des bains, où se consumaient des dizaines de bougies. La chaise percée trônait toujours dans la ruelle et répandait ses pestilences. On ne l'avait pas vidée. Son contenu devait être étudié par l'homme de science et l'aider à établir son diagnostic. En désespoir de cause, les servantes avaient réparti des sachets de senteur partout dans la pièce et faisaient brûler des pastilles parfumées.

Marion mourait d'envie d'ouvrir tout grand les fenêtres pour chasser cette atmosphère corrompue et laisser entrer l'air frais de la nuit. Mais on avait soigneusement fermé les volets, car la marquise n'aurait pas supporté d'entrevoir l'obscurité du ciel nocturne. Marion avait envie de vomir, d'autant que l'odeur du sang l'avait apparemment suivie… En baissant les yeux, elle découvrit avec horreur que les souliers de d'Aquin portaient des traces de sang séché. L'odeur n'était donc pas liée au logement du médecin, mais bien à sa personne, et provenait sûrement du malade auquel il avait fait allusion tout à l'heure.

L'homme installa tranquillement ses instruments et ses flacons de potion sur une petite table, recouverte d'un linge blanc, qu'on avait disposée près du lit.

Tout naturellement, il souleva le couvercle de la chaise percée et se baissa comme s'il voulait y plonger la tête.

– Voilà un flux de ventre bien extraordinaire et fort puant, dit-il, l'air grave, en se relevant.

À cet instant, la marquise ouvrit les yeux et demanda à boire. Le médecin lui prit le pouls.

– Pour avoir suivi le roi dans sa promenade de l'après-midi, il me semble, Madame, que vous êtes restée longtemps exposée au grand soleil. Vous savez sans doute que ses rayons ont un effet pernicieux sur tout le corps. La bile échauffée se déverse alors brusquement dans l'estomac et le ventre, provoquant une intempérie du foie. Quant à la sécheresse de bouche dont vous souffrez, elle est certainement due à ce débordement bilieux qui pique les membranes de l'œsophage et emplit la bouche d'une vapeur chaude et sèche. Il vous faut, Madame, un grand verre d'eau de fontaine pour détremper la bile et tempérer la chaleur de vos entrailles. La saignée ne pourra cependant être évitée. Nous saignerons au pied pour attirer les humeurs vers le bas, ce qui achèvera de libérer le ventre. Ensuite, un lavement à l'eau de rose et au miel fera merveille. Demain, il serait souhaitable que vous preniez un bain.

Marion avait écouté ce monologue et assisté

aux soins. Bien que tenaillée par la nausée, elle était restée là et n'avait pas perdu une miette de cet écœurant spectacle.

Une heure après son arrivée le médecin repartait, laissant la marquise inerte et plus blanche qu'une morte.

À la petite porte qui s'ouvrait sur la galerie basse, Marion lui tendit un bougeoir.

– Ta maîtresse risque fort d'avoir un sommeil agité et de faire de mauvais rêves, dit le médecin. Elle souffre d'une belle indigestion !

– Dans ce cas, Monsieur, pourquoi ne pas le lui avoir dit ? Elle se montrerait plus sobre la prochaine fois.

– Parce que les grands de ce monde sont irréprochables ! Jamais on ne doit les rendre responsables, même de leurs propres maux. Alors, nous autres médecins parlons de la chaleur, du froid, de l'humidité de l'air, des trop longues promenades à cheval, des astres, et que sais-je encore… Que veux-tu, le roi aime les belles femmes, blondes, grasses et aussi goinfres que lui ! Un beau jour, la gloutonnerie les tuera, tu verras ! Il est grand temps d'aller dormir, maintenant. À sept heures, je dois être auprès de Sa Majesté pour son lever. Adieu !

14

Lucie était seule auprès d'Athénaïs quand Marion revint dans la chambre de l'appartement des bains.

– La marquise a retrouvé assez de forces pour donner ses ordres. C'est toi qui la veilleras cette nuit encore. Tu devras aussi fabriquer un parfum. Mais pour un homme, cette fois : le duc de Vivonne, son frère, à qui elle veut l'offrir. Voici les coffrets d'essences qu'elle m'a demandé d'aller chercher. Veux-tu que je reste avec toi ?

– Non, Lucie. Je n'ai pas sommeil, tout ira très bien. Va dormir, tu as la mine à l'envers.

Dès que son amie fut partie, Marion vérifia toutes les bougies, agita les sachets de senteurs et remit des pastilles dans les brûle-parfums. Athénaïs dormait calmement. La fillette en profita pour s'installer dans un fauteuil, le temps de réfléchir… Dans ce palais où, à de rares exceptions près, la puanteur régnait en maîtresse absolue, elle devait absolument ménager son nez. Où qu'elle aille, quoi qu'elle fasse, les odeurs l'agressaient, et elles finiraient bien un jour par gâter définitivement son odorat.

Les chirurgiens, eux, plaçaient sur leur visage, pour se protéger, un long masque en forme de bec, rempli d'herbes odoriférantes. Bien évidemment, Marion ne pouvait assurer son service auprès de la marquise dans un tel accoutrement. Il lui fallait trouver quelque chose qui fût aussi efficace qu'invisible.

Au fil de ses pensées, son regard parcourait la pièce. Soudain, il se fixa sur un magnifique bouquet qu'elle avait composé avec l'aide de Lucie. Marion se leva d'un bond. Une drôle d'idée venait de germer dans son esprit. Pour elle, couvrir les mauvaises odeurs par une profusion de parfum n'était pas la solution. Il lui fallait fabriquer un élixir capable de les absorber et de les faire disparaître. Elle pensa que si elle déposait une goutte de ce liquide au bord de ses narines, les pestilences seraient piégées, anéanties, et son odorat s'en trouverait préservé. Une idée toute neuve, et très audacieuse, car la jeune fille ne possédait que des rudiments quant à la fabrication des parfums, et ne disposait d'aucun matériel. Qu'importe ! Elle allait quand même essayer.

Le principe était simple. Pour lutter contre la puanteur, elle devrait choisir des fleurs blanches, symbole de pureté. Il fallait ensuite les emprisonner dans des linges imbibés d'huile, la graisse ayant la propriété d'absorber la moindre parcelle de parfum. Rapidement, les pétales flétris ne formeraient plus qu'une masse grisâtre, translucide et inodore, au point que Marion elle-même ne pourrait y déceler la plus petite trace de senteur. Il suffirait alors d'imprégner d'esprit-de-vin cet amas de fleurs fanées, totalement vidées de leur substance odoriférante. Le philtre obtenu, après pression, serait d'une nature stupéfiante. Avide et assoiffé de parfum, il piègerait n'importe quelle odeur, tout comme une éponge desséchée capture une goutte d'eau…

Elle parcourut les pièces de l'appartement des bains et récupéra dans les vases toutes les fleurs blanches qui s'y trouvaient.

Bientôt, à l'office, s'entassèrent sur une grande desserte une multitude de beaux pétales nacrés et soyeux. Jasmin, camélias, roses, lys, tubéreuses, iris et fleurs d'orangers embaumaient l'air.

Marion fouilla dans la réserve. Elle y trouva deux grosses bouteilles d'huile et une pile de linge blanc. Dans une grande jatte en porcelaine, elle superposa les linges imbibés d'huile et le mélange de fleurs et posa dessus un plat de service chargé d'un poids pour tasser l'ensemble. Maintenant, il fallait attendre. La jeune fille cacha la jatte sous un meuble et retourna auprès de la marquise. Demain matin, elle irait voir Augustine pour obtenir la quantité d'esprit-de-vin nécessaire.

Comme d'Aquin l'avait prévu, le sommeil de la marquise fut très agité. Ses joues avaient retrouvé des couleurs, mais elle respirait vite et balançait la tête au rythme de ses cauchemars. Marion, qui devait à présent obéir aux ordres et composer un parfum, s'installa à la table qui avait servi au médecin et se mit au travail. Elle dosait et mélangeait les essences avec beaucoup d'attention quand, soudain, la favorite poussa un cri strident. Marion faillit lâcher ses flacons. Elle délaissa un instant son ouvrage pour s'approcher du lit.

Le visage de la belle Athénaïs était rouge et trempé de sueur. Pyrrhos, aplati au pied du lit, la tête posée entre ses pattes avant, roulait de gros yeux.

Marion se demandait si elle devait de nouveau appeler d'Aquin lorsque la marquise se mit à parler. Sa voix était grave, méconnaissable, presque effrayante, et elle articulait avec peine :

— La reine n'est qu'un pantin brandi par le roi d'Espagne pour faire du chantage à la France… « Attention, si Louis XIV n'épouse pas ma fille, vous aurez la guerre… » Le roi a cédé à la raison d'État… Et la raison d'État, c'était cette infante aussi niaise que laide… Ce mariage est une imposture… J'étais le seul parti digne du roi… Je suis une Mortemart, que diable ! Les lettres de noblesse de ma famille sont d'ailleurs bien plus anciennes que celles des Bourbons… Mon astrologue me l'a encore dit ce matin : je suis née pour être reine, et elle me fournira bientôt le moyen de le devenir... Je serai reine de France ! M'entendez-vous ?

Marion fronça les sourcils. Ce délire avait de quoi inquiéter. La devineresse devait bientôt lui fournir le moyen de devenir reine de France ? De quel « moyen » la favorite voulait-elle parler ? La reine serait-elle en danger ?

La marquise était maintenant assise dans son lit, les yeux grands ouverts et les bras tendus. Marion pensa qu'une pareille agitation l'avait finalement éveillée. Il n'en était rien. Elle retomba sur ses oreillers toujours aussi écarlate et ruisselante, mais plus calme, et dormant pour de bon.

Pensive, Marion retourna à sa table et acheva rapidement son travail. Elle avait une autre préoccupation : à qui reviendrait le mérite de la fabrication de ce parfum ? Sûrement à quelque artisan de Florence ou d'ailleurs, né de l'imagination fertile de la marquise, qui avait décidé de laisser Marion dans l'ombre... La jeune fille en avait le cœur gros.

Mais, en considérant le chemin qu'elle avait parcouru en si peu de temps, elle reprit confiance en elle. Un jour, elle en était sûre, son travail serait enfin reconnu et lui assurerait un avenir meilleur.

Au petit matin, Marion entrouvrit les volets dorés, ornés de dauphins sculptés. En serrant la médaille de Marie dans sa main, elle laissa ses pensées s'envoler avec la brume légère au-dessus des parterres de fleurs. La lumière d'une nouvelle journée, pleine de promesses, pointait à l'horizon.

15

– Un bain ! Figurez-vous, Sire, que d'Aquin, votre premier médecin, voulait me faire prendre un bain ! J'ai refusé tout net. Cela m'aurait sûrement fait fondre les humeurs et ramolli la cervelle. J'en serais sortie plus stupide qu'une outre, alors que vous me voyez là, aussi fraîche et vive qu'on peut l'être !

En effet, deux jours après son indigestion, la marquise était guérie et avait regagné ses appartements. Le roi, qui avait payé puis pardonné les dettes de jeu de sa belle amie, avait promis de lui rendre visite ce matin-là, après la réunion du conseil.

Marion avait noté qu'à l'annonce de sa venue Athénaïs avait relevé son joli menton en signe de triomphe.

La fillette était aux cuisines quand le roi arriva chez la marquise. Lorsqu'elle revint dans le grand salon avec un plateau chargé de pâtisseries, elle les trouva parlant le plus tranquillement du monde des journées de fête qui allaient bientôt commencer. Marion était extrêmement intimidée, car c'était la première fois qu'elle voyait Louis XIV de si près. Le roi, quant à lui, ne fit pas plus attention à elle qu'à une poussière voletant dans un rai de lumière. Installé dans un large fauteuil, il se tenait les jambes croisées. Pyrrhos, assis devant lui, le regardait droit dans les yeux. La truffe posée sur la pointe du royal soulier, il retroussait légèrement les babines pour montrer les crocs et, comme toujours, il grognait.

La favorite vivait dans l'ombre du monarque depuis sept ans, et elle avait appris à le connaître. Aujourd'hui, elle lui trouvait l'air soucieux. Étaient-ce les affaires de l'État, ou lui gardait-il encore quelque rancune ? Comme s'il avait perçu ses interrogations, le roi lui dit :

– Madame, le comte de Peyrussel est mort voilà deux jours, et j'en suis fort contrarié.

Devant la mine étonnée d'Athénaïs, il poursuivit :

– Une bien triste nouvelle, en vérité ! Cela s'est produit alors que vous-même étiez souffrante. Ce vieil homme, que je tenais en haute estime, avait à maintes reprises prouvé son attachement à la couronne, notamment pendant la Fronde. En ces temps troublés, trahir son roi était devenu chose aisée. Je n'ai jamais oublié ceux qui ont su me rester fidèles.

— Sire, a-t-on une idée du mal qui l'a emporté ? demanda la marquise.

— À ce qu'on m'a dit, le comte est arrivé chez lui sur les dix heures, après le jeu, la mine défaite, le regard empreint de sauvagerie et dans un tel état d'excitation qu'on a cru d'abord à un accès de folie. Il a couru dans la chambre de son épouse et s'est mis à sauter à pieds joints sur le lit. Ensuite, il a fait le tour de la chambre en bondissant d'un fauteuil à l'autre avant de s'écrouler par terre, l'écume aux lèvres et secoué de convulsions. La comtesse s'est précipitée chez la reine, où je soupais, pour me supplier à genoux de lui envoyer mon médecin. Ce à quoi j'ai aussitôt consenti. D'Aquin a pratiqué trois saignées. Pour ma part, je ne crois pas que les saignées soient le remède à tous les maux. Toujours est-il que le comte avait retrouvé ses esprits lorsque le prêtre est venu pour lui admi-

nistrer les derniers sacrements. Ce pauvre Peyrussel a finalement rendu son âme à Dieu au beau
milieu d'un discours incohérent qui lui a tenu lieu
de confession. Il prétendait que si Jésus avait eu
pour le défendre un régiment de fiers Gascons
commandé par d'Artagnan, jamais ses ennemis
n'auraient eu l'audace de le mettre en croix !

Soudain la voix du roi se fit plus dure :

– J'ai lu ce matin le rapport des chirurgiens qui
ont procédé à l'ouverture du corps. Ils sont
formels : c'est le poison qui l'a tué !

– Vraiment ? s'indigna la marquise en portant à
ses lèvres un verre de liqueur que Marion venait de
lui servir. Mais qui a pu commettre un tel crime ?
Et pourquoi ?

– Je ne sais, Madame. Mais je le saurai un jour,
croyez-moi ! Paris et ses faubourgs regorgent d'al-
chimistes, parfumeurs et autres devineresses, qui
ne sont en réalité que des sorciers et des empoison-
neurs. Ils ont pignon sur rue et prospèrent comme

d'honnêtes boutiquiers. Cela ne durera pas ! Je les ferai arrêter, interroger et brûler en place de Grève. J'entends purger le royaume de cette dangereuse vermine ! J'y mettrai le temps et les moyens qu'il faudra, mais j'y parviendrai. Je le jure devant Dieu !

En entendant parler des parfumeurs, Marion avait frémi, presque autant que la marquise à l'évocation des devineresses. Le roi s'en était aperçu.

— Je vois que je vous fatigue, Madame, dit-il en se levant. Vous devez être encore lasse de cette indisposition qui vous a tenue alitée deux jours de suite. Me ferez-vous le plaisir de vous joindre à ma promenade, demain au Trianon ? L'air y est bon, et Monsieur Le Nôtre m'assure que les parterres de fleurs sont superbes. Dois-je ajouter que, par votre seule présence, ils seront à mes yeux encore plus somptueux ?

Athénaïs plongea dans une de ces gracieuses révérences dont elle avait le secret :

– Merci, Majesté, j'y serai.

Le roi regagna ses appartements, et la marquise fit savoir qu'elle désirait déjeuner seule dans sa chambre.

De son côté, Marion rêvait déjà aux milliers de fleurs et aux parfums envoûtants des jardins du Trianon de Porcelaine. Demain, la favorite l'autoriserait peut-être à l'accompagner...

16

Marion grimpa quatre à quatre l'escalier qui menait aux combles et entra précipitamment dans la chambre.

– Je t'attendais pour aller aux cuisines retrouver Martin, lui dit Lucie. Il a promis de nous garder un pâté et des beignets.

– Attends, Lucie ! J'ai là quelque chose à te montrer.

Marion ouvrit la porte d'un petit placard aménagé dans l'épaisseur du mur, juste à côté de son lit. Elle en sortit une fiole en verre pleine d'un liquide transparent aux reflets mauves.

— Il a une drôle de couleur, ce parfum ! s'étonna Lucie. C'est toi qui l'as fait ?

— Ce n'est pas un parfum, mais un philtre de ma fabrication pour capturer les mauvaises odeurs que je ne peux plus supporter.

— Avec quoi as-tu fabriqué ça ? Ce n'est pas de la sorcellerie, au moins ?

Marion expliqua comment l'idée lui était venue et quels moyens elle avait mis en œuvre pour réaliser son projet.

Lucie l'écoutait, bouche bée :

— Et c'est efficace ?

— Je ne sais pas. Je ne l'ai pas encore essayé. Mais nous allons bientôt savoir si cela agit comme je l'ai imaginé.

Marion déposa sans tarder une goutte du liquide nacré sous chacune de ses narines et tendit la fiole à son amie. Un peu hésitante, Lucie l'imita. Après avoir soigneusement rangé le flacon, elles sortirent de leur chambre.

L'odeur qui flottait généralement à cet étage du château allait leur servir de point de repère. En ce début d'été, la chaleur accentuait encore la puanteur dégagée par les réchauds sur lesquels certaines servantes fricassaient leurs repas, les vases de nuit mal lavés, les seaux remplis de détritus, la poussière, les crottes de souris et les bassines où trempait la vaisselle sale.

Les deux amies avancèrent lentement dans le long couloir, le regard fixe. Elles tournaient la tête de temps en temps et inspiraient en relevant légèrement le nez.

Rien. Elles ne sentaient plus rien ! Quand elles en furent absolument certaines, elles se jetèrent dans les bras l'une de l'autre en riant aux éclats. Les autres servantes, qui observaient leur manège, se demandèrent quel jeu pouvait les divertir à ce point.

Marion et Lucie se prirent par la main et dévalèrent l'escalier pour aller chercher leur déjeuner. En chemin, elles passèrent par la lingerie, quasi déserte à cette heure. Seules Mathilde et Fiacrine s'y trouvaient, qui mangeaient une soupe, assises dans un coin. Mais pas la moindre odeur ne parvint au nez des jeunes filles, qui repartirent aussitôt en riant de plus belle.

Lorsqu'elles entrèrent dans la rôtisserie où travaillait Martin, leur joie retomba d'un coup. Le philtre avait un effet qu'elles n'avaient pas prévu : il neutralisait aussi les bonnes odeurs qui les enchantaient à chaque fois qu'elles venaient en cuisine.

Les pintades dodues qui passèrent sous leur nez avant de s'envoler vers la table de la marquise étaient aussi parfumées que si elles eussent été en papier mâché !

Les deux amies se regardèrent, surprises et très déçues.

— Ne vous inquiétez pas ! dit Martin, se trompant totalement sur la cause de leur triste mine. J'ai gardé pour nous quelque chose dont vous me direz des nouvelles !

Il sortit aussitôt trois assiettes d'un buffet et les disposa sur l'immense table qui trônait au milieu de la cuisine.

Marion et Lucie apportèrent des gobelets, des couteaux et du pain pendant que Martin allait dans la réserve.

Il en revint, l'air triomphant, portant un pâté brillant et doré avec une croûte si joliment décorée qu'on n'avait pas envie de la couper.

— Il est tout frais ! Je l'ai préparé ce matin. La viande a mijoté dans un bouillon d'herbes et d'épices. Sentez-moi ça ! dit-il en avançant le plat vers ses amies, qui firent semblant d'en apprécier les arômes.

Marion ne savait pas combien de temps son

philtre allait agir. Elle craignait aussi qu'il ne leur ôte le goût.

Heureusement, si le pâté n'avait aucun fumet, il était tout à fait délicieux. Martin pouvait être fier de son ouvrage. Marion pensa que ce garçon savait marier les saveurs comme elle les senteurs.

Avant qu'ils ne se séparent, le jeune cuisinier leur proposa d'emporter le reste du pâté et quelques beignets, qu'il emballa dans un torchon. Les fillettes le remercièrent et disparurent.

En remontant vers les combles, elles croisèrent sur le palier du premier étage Claude des Œillets. Marion se rendit compte que l'effet du philtre était en train de disparaître.

Son nez venait de capter l'horrible parfum, à base d'essence de géranium, dont la suivante de la marquise s'inondait quotidiennement. Lucie, qui le percevait à son tour, retrouva le sourire et glissa à l'oreille de son amie :

– Tu es une magicienne !

L'effet quasi magique de l'élixir avait duré environ une demi-heure.

— Je t'ai demandée plusieurs fois, Marion, déclara la des Œillets d'un ton agacé. Tu devrais dormir cet après-midi. La marquise veut que tu la veilles la nuit prochaine et que tu l'accompagnes demain à Trianon.

Marion était transportée de joie. Son philtre était efficace au-delà de toute espérance et, demain, elle participerait avec la favorite à la promenade du roi...

Dormir ? Il n'en était pas question ! Pour l'heure, une seule chose était importante : confier son bonheur au papier et à la terre de Versailles. En passant à l'orangerie pour trouver une bouteille et une fleur d'oranger, elle irait dire à Augustine que demain elle connaîtrait enfin le Trianon de Porcelaine. Elle entendait déjà la brave femme lui répondre en riant : « Ma parole, elle peut plus se passer de toi, la marquise ! »

17

La voiture des femmes de la marquise venait de franchir la grille du Trianon de Porcelaine. Claude des Œillets avait décidé que Lucie et deux autres femmes de chambre seraient aussi du voyage.

Pour Marion, la surprise était totale. Sous le chaud soleil de ce début de juillet, une féerie en bleu et blanc étincelait devant ses yeux. Cinq pavillons cernaient la cour ronde. Ce petit palais, tout en porcelaine, était décoré comme les brûle-parfums de Chine que possédait la marquise. Les grilles et les boiseries des fenêtres, les angelots et les oiseaux de faïence sur les corniches des toits, tout était bleu et blanc.

– Les appartements se trouvent dans le pavillon central, et les communs dans les quatre petits bâtiments répartis de chaque côté de la cour, expliqua Lucie.

Le roi et ses invités n'étaient pas encore arrivés, et les domestiques et les jardiniers couraient en tous sens pour régler les derniers détails.

– Ce coffre pèse une tonne ! se lamenta Lucie, que la magie du lieu avait fini d'émouvoir depuis longtemps.

Marion sortit de sa rêverie et se précipita pour l'aider.

– À chaque fois, c'est la même chose ! On dirait que la marquise vient s'installer ici pour trois jours, alors qu'elle est invitée pour l'après-midi ! Il faut tout de même reconnaître qu'elle est un peu chez elle. Le roi a fait bâtir tout ça en son honneur, déclara Lucie en écartant les bras pour désigner l'ensemble des bâtiments. Il est prêt à toutes les folies pour lui plaire !

Marion, encore très troublée par le délire de la favorite, la nuit de l'indigestion, en profita pour se renseigner :

— Crois-tu qu'il irait jusqu'à la demander en mariage si d'aventure la reine disparaissait ?

— Voilà bien une drôle de question ! La marquise est déjà mariée, je te le rappelle. Pour que le roi l'épouse, il faudrait qu'elle soit veuve. Et, aux dernières nouvelles, monsieur de Montespan se porte fort bien. Quant à la reine, elle est également en parfaite santé ! Pas de noces en vue, ma belle !

— La marquise ne le souhaiterait-elle pas ? insista Marion.

— Oh si ! Elle enrage déjà de ne pouvoir être duchesse !

— Et pourquoi ne le serait-elle pas ?

– Être la parfumeuse d'une marquise ne te suffit donc pas ? Ma parole, tu rêves de travailler pour une reine ou une duchesse ! répliqua Lucie en riant.

Elle jeta un regard circulaire pour être sûre que personne d'autre que Marion ne pouvait l'entendre et, redevenant plus sérieuse, ajouta :

– À plusieurs reprises, la marquise a supplié le roi. Mais, pour faire d'elle une duchesse, il faudrait que monsieur de Montespan devienne duc. C'est une faveur que Sa Majesté ne lui accordera jamais.

– Et comment sais-tu tout ça, toi ?

– Parce que le roi l'a dit devant moi.

– Devant toi ! Je n'y crois pas. N'attendent-ils pas d'être seuls pour évoquer un sujet aussi délicat ? Je te soupçonne d'écouter aux portes ! souffla Marion à l'oreille de son amie.

– Nul besoin d'écouter aux portes ! N'as-tu pas remarqué qu'ils sont toujours entourés de domestiques ? Pour eux, nous sommes transparents, aveugles et sourds. Nous n'avons bien sûr pas de cervelle pour réfléchir et pas de langue pour raconter. Alors, ils parlent de tout devant nous. Pourquoi s'en priveraient-ils ?

— Tu veux dire qu'ils nous considèrent comme des meubles ?

— Non, Marion. Leurs meubles valent des fortunes, alors que nous, nous ne sommes rien. Ils ne voient que notre travail. Notre personne n'existe pas. Il faut te faire à cette idée, sinon tu seras toujours malheureuse.

Les deux amies se penchèrent pour attraper les poignées de la malle, qu'elle soulevèrent avec peine. Marion était triste. Lucie ne lui apprenait rien, mais tant d'indifférence la révoltait. Au fond d'elle-même, elle savait que jamais elle ne s'y habituerait.

Une fois leur fardeau déposé dans la garde-robe

du pavillon central, Lucie entraîna Marion à l'extérieur :

— Viens avec moi. Il y a ici un endroit qui te plaira certainement.

Elles se dirigèrent vers les jardins et, telles deux petites souris, se faufilèrent derrière les treillages qui longeaient les parterres. Monsieur Le Nôtre avait raison, ils étaient magnifiques.

Les deux amies arrivèrent bientôt devant une maisonnette aux couleurs des autres bâtiments. En prévision de l'arrivée du roi, on avait ouvert les portes.

— C'est le cabinet des Parfums, une vraie mine d'or pour toi. Enfin, si tu n'as pas enduit tes narines de ce philtre infernal dont nous avons tâté hier ! dit Lucie en souriant.

— Non, je ne l'ai pas utilisé. Mais le flacon est dans ma poche. On ne sait jamais !

L'endroit, aménagé comme un salon, était décoré avec un raffinement et un luxe infinis. C'était en réalité une sorte de serre regorgeant de plantes odoriférantes.

– Quelle merveille ! s'exclama Marion. Toutes ces fleurs sont des perles rares, des joyaux, des trésors ! Il y a là de quoi fabriquer des centaines de parfums fabuleux.

Marion volait d'une plante à l'autre comme un papillon, lorsque tout à coup Lucie l'attrapa par le bras et l'entraîna vers la sortie.

– Vite, il faut retourner au Trianon, les invités sont déjà là, et le roi arrive avec la reine et la favorite.

– Si, comme tu le dis, la marquise est la maîtresse des lieux, peut-être m'autorisera-t-elle à utiliser ces plantes pour fabriquer des eaux de senteur ? demanda Marion.

– N'y compte pas trop ! Ce n'est pas un laboratoire, mais un lieu de détente, où le roi et la marquise aiment à se reposer pendant les grandes chaleurs de l'été.

À regret, Marion sortit du cabinet des Parfums. Sur le pas de la porte, elle s'arrêta, pensive :

— J'ai l'étrange sentiment que quelque chose m'appelle ici, et que je reviendrai bientôt…

18

Marion et Lucie quittèrent l'ombre fraîche du pavillon et rejoignirent discrètement le petit palais.

La promenade avait bel et bien commencé. Le cortège s'attardait sur les terrasses plantées d'orangers, de jasmins et de grenadiers. Le roi raffolait des jardins du Trianon, où l'harmonie des couleurs rivalisait de splendeur avec le parfum des fleurs.

Tout à coup, un mouvement inhabituel parcourut l'assemblée. Depuis les communs, Marion et Lucie virent que la reine Marie-Thérèse et plusieurs autres dames, dont la marquise, étaient prises de malaise ! Lucie fila à la garde-robe, ouvrit le coffre et en sortit un flacon de sels. Les deux amies s'élancèrent vers les promeneurs.

— Il n'y a pas un coin d'ombre, pas un souffle d'air, murmura Marion.

— Et les dames sont toujours serrées à étouffer dans leur corset, renchérit Lucie.

Les jardins étaient écrasés de chaleur, et les fleurs épanouies répandaient des parfums si enivrants, si entêtants qu'ils en étaient écœurants. L'air était devenu irrespirable !

Marion, qui commençait à se sentir mal elle aussi, appliqua très vite une goutte de son philtre sous chaque narine. Le résultat fut immédiat. Elle comprit que les sels ne serviraient à rien en pareille circonstance. Seul son élixir pouvait agir !

Mais la trahison de la marquise pour son parfum lui revint aussitôt en mémoire. Elle eut un instant d'hésitation... Devait-elle oublier sa rancune et aider la favorite en lui proposant son philtre ? Fallait-il, au contraire, la laisser respirer les sels à l'odeur répugnante ?

Finalement, sa générosité l'emporta. Le produit fit merveille, et Athénaïs se redressa, affichant une mine éclatante. Elle fixa Marion comme si elle venait de s'apercevoir de son existence et échangea avec Claude des Œillets un regard complice, qui inquiéta la fillette.

Un peu plus loin, la pauvre reine était assise sur un banc, entourée de ses dames de compagnie, de ses bouffons nains et de ses chiens. Elle éternuait sans arrêt et se lamentait en espagnol.

Le soleil brûlant et l'abondance de parfums étourdissants avait fini par lasser le souverain lui-même. Au grand soulagement des invités, il avait donné le signal du retour au Trianon. Tous se dirigèrent vers les tables dressées à l'ombre d'un bosquet pour la collation.

Marie-Thérèse, épuisée, préféra se réfugier dans les appartements. Le roi lui promit de la rejoindre bientôt. Athénaïs prit le parti d'accompagner la reine, entraînant avec elle Claude des Œillets, Marion et Lucie. Pyrrhos suivait, la langue pendante, visiblement assoiffé.

La souveraine s'allongea sur un lit de repos. Marion fut surprise par l'atmosphère de cette chambre. Comment pouvait-on vivre dans un décor aussi stupéfiant ?

Là encore, le bleu et le blanc dominaient. Les boiseries sculptées du lit, le sol, les murs et tous les autres meubles se confondaient dans une sorte de délire exotique. Partout il y avait des miroirs, des tableaux, des tentures, des rubans et des dentelles.

La reine et la marquise évoquaient les journées de fêtes à venir. La favorite disait que Molière, mort dix-huit mois plus tôt, manquerait au roi. Marie-Thérèse, très gourmande, se réjouissait à l'idée du souper magnifique qui serait servi après le spectacle. Mais ni l'une ni l'autre ne parla de sa toilette. Chacune voulait éblouir le roi en surpassant sa rivale. Athénaïs regardait la reine avec compassion. Pour elle, cette bataille-là était gagnée d'avance. Son regard reflétait si bien ses pensées que la souveraine en prit ombrage. Coupant court à la discussion, elle frappa dans ses petites mains potelées et lança des ordres en espagnol. La reine réclamait des macarons et du chocolat ! Marion et Lucie furent désignées pour transmettre les ordres en cuisine.

Cela fait, Marion décida d'aller se reposer dans la garde-robe du pavillon central, où elle avait vu un lit de camp. Elle n'avait presque pas dormi ces deux derniers jours. Au moment où elle allait sortir des communs, elle constata que l'effet du philtre était terminé. Son attention avait été attirée par une odeur inconnue.

Intriguée, elle s'approcha d'une paillasse, où

traînait un monceau de vaisselle souillée. Au fond d'un petit récipient, qui ressemblait fort aux cafetières qu'elle avait vues chez la marquise, restaient quelques gouttes d'un épais liquide brun. La fillette reconnut les odeurs mélangées du lait, du sucre, de la girofle et de la vanille. Mais il y avait quelque chose de plus. D'abord la couleur, mais surtout un arôme qui dominait tous les autres.

– Tu n'as jamais vu une chocolatière sale ! se moqua un garçon de cuisine qui passait par là.

Ainsi, ce parfum gourmand, intense et suave à la fois, où se mêlaient délicatement amertume et douceur, c'était celui du cacao dont on parlait tant !

La fillette récupéra sur son index un peu du breuvage et le goûta. C'était délicieux !

Lorsque Marion se réveilla, environ deux heures plus tard, les courtisans étaient partis. Tout était calme. En sortant de la garde-robe pour rejoindre Lucie, elle vit le souverain traverser le vestibule en compagnie de Monsieur Le Nôtre. Ils étaient en grande conversation à propos des orangers nécessaires aux décors de la fête du 4 juillet. Elle esquissa une révérence, mais le roi ne la remarqua pas.

Lorsqu'il passa près d'elle, elle s'aperçut d'une chose qui lui fit aussitôt monter les larmes aux yeux...

Où pouvait bien être Lucie ? Elle finit par la trouver dans la cour devant les communs. La jeune servante la cherchait aussi. Voyant que quelque chose n'allait pas, elle entraîna Marion un peu à l'écart :

– D'où te vient cette mine à l'envers ?

– Je suis désespérée, Lucie. La marquise m'a encore trahie. Tu te rappelles, la nuit où elle a été malade, elle voulait que je compose un parfum pour son frère. Eh bien, je viens de croiser le roi, et c'est lui qui le porte, ce parfum ! Je le reconnaîtrais

entre mille, comme tous ceux que je fabrique.
Pourquoi m'a-t-elle menti ?

– Je n'en ai pas la moindre idée.

– Et moi qui la croyais aussi bonne que du bon
pain ! Si j'avais su, jamais je ne lui aurais proposé
mon philtre ! J'aurais dû la laisser s'empoisonner à
respirer les sels !

Marion pleurait. Lucie la prit par le bras :

– Il faut te ressaisir, ma jolie. La marquise a décidé de se rendre au château de Clagny. Nous par-
tons dans quelques minutes et, cette fois, nous
voyagerons dans la même voiture qu'elle. Il ne
faut pas qu'elle te voie dans cet état !

19

Vers six heures du soir, la marquise avait eu en effet la soudaine envie de quitter le Trianon pour Clagny, où Louis XIV faisait bâtir pour elle un nouveau palais. Elle voulait se rendre compte par elle-même de l'avancement des travaux.

Le carrosse roulait vite et tanguait sur la route cahoteuse. À l'intérieur, tout le monde s'accrochait ferme. Heureusement, l'épreuve serait de courte durée, car le château de Clagny était proche du parc de Versailles.

Marion observait la favorite assise en face d'elle. Le visage était toujours angélique, les gestes pleins de grâce et la voix cristalline. Pourtant, la jeune fille savait que jamais plus elle ne la regarderait comme avant. Cette femme était injuste, menteuse, et sa réputation d'intrigante n'était sans doute pas usurpée. Marion sentit de nouveau sa gorge se serrer. Se pouvait-il qu'elle se soit trompée à ce point ? Elle se ressaisit très vite, car à son tour la marquise la fixait.

— Qu'as-tu à me regarder de la sorte ? Aurais-je le nez de travers ? siffla-t-elle, agacée.

La mauvaise humeur de la Montespan était flagrante.

Jusqu'à Clagny, plus personne ne parla. Marion regardait par la fenêtre du carrosse et respirait avec bonheur l'air tiède et parfumé de la campagne.

Bientôt, la voiture ralentit et amorça un virage. Marion aperçut le château de la favorite qui bar-

rait l'horizon. « C'est un deuxième Versailles ! »
pensa-t-elle.

En effet, à Clagny, comme à Versailles, des
échafaudages se dressaient un peu partout. Une
foule d'ouvriers s'activait au milieu de tas de
sable, de gravas, d'outils et de blocs de pierre.

Le carrosse se fraya un passage à travers la cour
encombrée et déposa la marquise devant le perron.
Pyrrhos sur ses talons, elle gagna ses appartements. Claude des Œillets l'aida à passer une nouvelle robe, plus simple et plus légère.

Dans la chambre, au décor chargé de dorures,
flottait une forte et désagréable odeur de peinture.
Comme on n'attendait pas la maîtresse de maison,
tous les meubles étaient recouverts de draps
blancs.

Marion et Lucie pliaient et rangeaient dans le
coffre, la robe brodée de perles fines que la favorite
portait au Trianon quand elles entendirent un

attelage entrer dans la cour. Elles laissèrent leur ouvrage pour s'approcher d'une fenêtre. Une longue femme vêtue de noir en descendit et gravit les marches du perron. Malgré le masque et la voilette qui couvraient son visage, elle était parfaitement reconnaissable.

– Tiens, tiens ! murmura Lucie. Voilà « le spectre ». Les soucis d'architecture de la marquise n'étaient donc qu'un prétexte. Elle a tout bonnement rendez-vous avec la Voisin, cette maudite sorcière ! Bavardes comme elles sont, on en a pour deux heures ! Pendant ce temps-là, je peux te montrer les jardins. Ils sont aussi beaux qu'au Trianon !

– Vas-y sans moi, Lucie. Je n'ai pas le cœur à ça. Je préfère rester à l'office pour me reposer au cas où la marquise souhaiterait que je la veille cette nuit.

– Comme tu voudras.

Marion fit semblant de se diriger vers les communs et, dès que Lucie eut disparu, elle revint dans la chambre de la marquise. La pièce était déserte, mais des voix provenaient d'un cabinet particulier attenant. Marion s'approcha de la porte dissimulée dans la tenture. Elle y colla son oreille et reconnut la voix de la marquise…

20

– Une messe noire ! Encore ! s'écria la marquise.
Je crains le diable, Madame ! J'en ai assez de
rester allongée, nue, sur un grabat pendant que l'on
consacre l'hostie avec le sang d'un nouveau-né !
Je suis mère de trois princes que le roi vient de
légitimer, ne l'oubliez pas ! Désormais, mon rang
m'interdit de me livrer à de telles extravagances !

– Votre visage sera masqué, comme il l'a toujours été, Madame la marquise. Pas plus qu'avant
on ne pourra vous reconnaître.

– C'est devenu trop risqué ! Il y a, à la cour, trop d'envieux qui m'espionnent et cherchent à me perdre. J'obtiens tout ce que je veux du roi. Ma faveur n'a jamais été aussi éclatante. Je risque de tout perdre si je suis découverte !

– Songez, Madame la marquise, que les messes noires, auxquelles vous voulez renoncer, sont sûrement la cause de votre bonne fortune, au même titre que les poudres que vous faites prendre au roi depuis des années.

– Je le sais.

– Puis-je aussi me permettre de vous rappeler que votre désir le plus cher était d'évincer l'ancienne favorite ? Le roi était très attaché à Mademoiselle de La Vallière, et depuis de longues années. Pourtant, vous avez triomphé, et la voilà cloîtrée chez les carmélites ! Vous faut-il d'autres preuves de l'efficacité de nos cérémonies et des philtres que je fabrique pour vous ?

— Maigre victoire ! Le roi a chassé la La Vallière, mais il n'a pas répudié la reine. Vous cherchez à me berner avec vos histoires de sorcière ! Je vous paie assez cher pour que vous exécutiez mes ordres ! Où est le moyen rapide et efficace dont vous m'avez parlé ?

— Le voici, annonça la Voisin en soupirant. C'est une poudre radicale, que j'ai fabriquée selon une recette italienne.

— Fort bien ! Dès que je serai reine, je ferai de vous la sorcière la plus riche du royaume.

Marion était horrifiée par tout ce qu'elle venait d'entendre. Maintenant elle en était sûre, la Montespan n'avait pas déliré pendant son sommeil, elle s'était trahie ! Son intention était bel et bien de se débarrasser de la reine...

La fillette se baissa doucement et regarda par le trou de la serrure. Les deux femmes étaient assises face à face, de chaque côté d'une table. La devineresse venait de poser devant la marquise un petit tube de cuivre. Marion vit également Pyrrhos qui gémissait en regardant la porte. Le chien avait repéré sa présence ! Trop absorbée par la conversation, la favorite ne lui avait pas prêté attention.

— Je vous conjure de m'écouter, Madame la marquise. La messe noire est indispensable. Si elle ne peut être dite sur vous-même, nous la dirons sur le corps de la femme que vous désignerez et qui vous représentera.

— Il y aurait donc une personne de plus dans la confidence ! Cela ne me plaît guère… Enfin, s'il le faut, je trouverai quelqu'un. Arrangez-vous pour que la cérémonie ait lieu demain soir.

— C'est que, Madame la marquise, une messe noire ne va pas sans un sacrifice. Je ne sais pas si nous pourrons nous procurer un nouveau-né d'ici demain.

— Si mes souvenirs sont bons, un nourrisson ne vaut pas plus d'un écu. Je suis prête à en payer dix ! Trouvez-en un ! lança la favorite en s'emparant d'un papier et d'une plume d'oie.

La Montespan poursuivit tout en écrivant :

– Demain, je confierai ce billet, qui résume tous mes souhaits, à la personne que j'aurai choisie. C'est ainsi qu'elle se fera reconnaître. Puisque je ne serai pas là, je veux que ce texte soit lu pendant l'office satanique.

Marion, anéantie par la scène à laquelle elle venait d'assister, perdit l'équilibre et s'effondra sur le parquet. Aussitôt, Pyrrhos se mit à hurler.

Il fallait faire vite ! Se cacher ne suffisait pas. L'épagneul suivrait sa trace. La fillette sortit le flacon qu'elle gardait dans sa poche et répandit quelques gouttes de son élixir sur le sol, à l'endroit même où elle était tombée. Elle fila ensuite se cacher sous le drap blanc qui recouvrait une console.

La bouche sèche, la gorge nouée, elle tremblait de tous ses membres. Les battements de son cœur affolé résonnaient si fort dans ses oreilles qu'elle entendit à peine la porte du cabinet s'ouvrir. Heureusement, un minuscule trou dans le tissu lui permit de voir ce qui se passait dans la chambre.

Comme elle l'avait prévu, Pyrrhos se mit à renifler le sol en grognant. La marquise et la devineresse l'observaient attentivement.

Il semblait avoir flairé une piste quand sa truffe frôla l'élixir déposé par Marion. L'épagneul secoua la tête, s'assit en remuant la queue et regarda sa maîtresse d'un air satisfait.

— Ce chien est stupide, conclut celle-ci en haussant les épaules.

Puis, se tournant vers la Voisin, elle lui remit une bourse bien garnie et ajouta :

— Savez-vous que Pyrrhos a été victime du démon lors du dernier orage ? Il a mordu la fillette que je serrais contre moi, comme vous me l'aviez conseillé. Un bien frêle bouclier, en vérité ! Mais vous aviez vu juste. Rien de tel qu'une enfant innocente pour tenir éloigné de soi le spectre de la mort !

Marion n'en croyait pas ses oreilles ! Elle qui pensait que la marquise avait voulu la protéger, ou du moins la rassurer pendant l'orage…

Les deux femmes passèrent dans l'antichambre, et Marion entendit leurs pas s'éloigner dans le grand escalier. Pyrrhos les ayant suivies, la voie était libre.

La fillette voulait en savoir plus. En dépit de la peur qui lui nouait l'estomac, elle entra dans le cabinet, lut le billet et l'apprit par cœur en quelques instants. Elle ouvrit ensuite le tube de cuivre resté sur la table pour en respirer le contenu.

Il y avait là-dedans du sang séché et un mélange dont même Marion n'aurait pu deviner la composition. Une chose était sûre : elle se souviendrait de cette odeur abominable.

21

– Imaginez-vous que le roi avait fait bâtir pour moi une maison ridicule, tout juste bonne à satisfaire les caprices d'une danseuse ! Cela n'était pas à mon goût, et il l'a fait démolir pour construire à la place « le Clagny » que vous venez de voir.

Dans le carrosse qui la ramenait à Versailles avec ses femmes, la marquise, visiblement nerveuse, parlait de tout et riait d'un rien. Comme toujours, elle était pressée.

– Plus vite, cocher ! lança-t-elle.

La voiture roulait à grande vitesse. Le jour déclinait, et Marion regardait défiler le paysage rougeoyant illuminé par les derniers rayons du soleil.

Soudain, le cocher se mit à jurer. Les chevaux hennirent. Dans un grand fracas, le carrosse fit une embardée avant de s'arrêter dans un nuage de poussière. Claude des Œillets regarda à l'extérieur et, à son tour, poussa un cri.

– Que se passe-t-il ? demanda la marquise en fronçant les sourcils.

D'un peu partout, des curieux accouraient en levant les bras au ciel. Marion et Lucie échangèrent un regard plein d'effroi. Elles avaient peur de comprendre…

Malheureusement, ce qu'elles craignaient venait de se produire. En descendant du carrosse, elles virent un jeune homme étendu dans l'herbe, le corps disloqué, la tête renversée en arrière et le visage en sang. Penchée sur lui, une femme sanglotait.

— Mon fils ! Vous l'avez tué ! hurlait-elle. Il était sourd, il n'a pas entendu arriver votre maudite patache ! Vous n'êtes que des assassins !

— La voiture était lancée à toute allure ! expliqua le cocher à la Montespan. J'ai rien pu faire ! Les chevaux l'ont bousculé, et le pauvre gars a été projeté là, sur le bas-côté, la tête la première contre une grosse pierre !

La marquise jeta un coup d'œil par la portière, mais ne se donna pas la peine de descendre.

Marion remonta dans le carrosse. Elle pleurait à chaudes larmes. C'en était trop ! Et cette odeur de sang qui lui donnait la nausée…

De nouveau calée dans les coussins de la banquette, la favorite affichait un regard dur et un visage fermé.

— Il suffit ! s'exclama-t-elle. Je ne vais quand même pas arriver en retard au souper du roi parce qu'un idiot de village s'est mis en travers de ma route ! Remontez en voiture, et fouette, cocher !

La marquise fulminait. Il n'était pas question de discuter ses ordres.

— Comptez dix écus à cette femme, ordonna-t-elle à Claude des Œillets en désignant du menton la mère du jeune homme. Et finissons-en !

« Le prix d'un nourrisson ! La vie d'un être humain ne vaut vraiment pas cher à ses yeux », pensa Marion en fixant la favorite.

De quel bois cette femme-là était-elle donc faite ? Ce sourire radieux, ces yeux azur, ce visage si doux n'étaient-ils que le masque de la cruauté, de l'ignominie ? Était-ce là celle que le roi aimait et pour qui il était prêt à tout ?

Sa réputation d'intrigante sans scrupules n'était pas réellement taillée à sa mesure. Tout ce que l'on disait sur elle était très largement en dessous de la vérité. La marquise de Montespan était un monstre de la pire espèce. Une bête sanguinaire ! Comment pouvait-elle en toute impunité se pavaner dans des palais et des jardins somptueux, dépenser sans compter et savourer les plus exquis soupers alors que des prisonniers croupissaient dans des cachots humides et mangeaient du pain moisi pour avoir seulement volé quelques pommes ?

Face aux mensonges de la marquise à propos de ses parfums, Marion s'était sentie blessée mais impuissante. Elle pensait que son seul recours était de confier sa peine à la terre de Versailles. Que pouvait une simple servante face aux caprices d'une presque reine ?

À Clagny, devant le déballage de toutes ces infamies, elle avait senti le dégoût et la colère l'envahir. Que faire ?

Depuis l'accident, elle n'avait plus qu'une idée en tête. Elle ne savait pas encore comment elle s'y prendrait, mais, tôt ou tard, elle se vengerait !

22

« Je demande que le roi ait de l'amitié pour moi encore plus que par le passé et qu'il m'épouse dès que je serai veuve et que la reine tiendra sa cour au royaume des cieux. »

Le message était clair. La reine et monsieur de Montespan devaient disparaître pour laisser le champ libre à la belle Athénaïs.

Marion reposa la plume sur la table de travail. Le jour se levait. Le petit bureau de Monsieur

Le Nôtre était sombre, et l'orangerie déserte.

Au retour de Clagny, la marquise avait soupé avec le roi dans l'appartement des bains. Elle avait fait savoir que seule Claude des Œillets la veillerait durant la nuit. Marion avait donc regagné sa chambre sous les toits, mais elle n'avait pas fermé l'œil. Tenaillée par l'angoisse et le désir de vengeance, comment aurait-elle pu dormir ?

Elle roula la petite feuille de papier où elle venait de recopier le texte appris par cœur, l'enferma dans une bouteille, y ajouta une fleur d'oranger et partit enterrer le tout dans le parc. Elle se sentit soulagée et essaya de mettre un peu d'ordre dans sa tête.

De quelle manière la favorite allait-elle s'y prendre pour empoisonner la pauvre Marie-Thérèse ? À quel moment passerait-elle à l'action ? Marion sentait qu'il fallait agir vite…

Quel camouflet pour la Montespan si son plan échouait ! Quelle belle revanche pour tous ceux qu'elle méprisait et humiliait ! Marion tenait sa vengeance. Mais comment l'accomplir ? Peu à peu, une idée s'imposait à elle…

Le roi ! Il fallait prévenir le roi !

23

Marion rejoignit les appartements de la marquise. Personne, à part Lucie, ne s'était aperçu de son absence.

En cette veille de jour de fête, la lingerie bourdonnait encore plus qu'à l'accoutumée. Le tailleur était là, attendant d'être reçu. Tout le monde se pressait autour du mannequin sur lequel resplendissait la robe de la marquise. Marion s'approcha et resta sans voix devant le travail des couturières. Elle avait souvent admiré les nobles dames qui se promenaient dans le parc en habits de cour. Elle se souvenait aussi des parures que portaient les invitées lors du divertissement royal de 1668... Mais là ! Elle n'avait jamais rien vu de pareil ! C'était une robe de conte de fée. Une robe bijou, tout entière faite d'or ! L'étoffe dorée était brodée et rebrodée d'or de différents tons. Les dentelles et les rubans aussi étaient en or. Avec cela, la marquise ne manquerait pas de se parer d'une multitude de gros diamants pour être encore plus éblouissante.

« Un serpent venimeux habillé de lumière, songea Marion. Ma parole, tout est prêt pour son triomphe sur la pauvre Marie-Thérèse ! C'est peut-être un signe... Et si l'empoisonnement était imminent ? »

Tout à l'heure, dans le parc, elle avait déjà eu le pressentiment d'un danger tout proche. Il fallait que le roi soit informé au plus vite de cette machination.

Marion savait très bien qu'on ne la laisserait pas approcher le souverain. Elle pouvait évidemment lui écrire un billet, mais il serait sans doute trop tard lorsqu'il le lirait... À bien y réfléchir, la fillette arriva à la conclusion qu'une seule personne était assez proche du roi pour intervenir.

Elle monta dans sa chambre, sortit le flacon de philtre du petit placard, déposa une goutte sous chacune de ses narines et quitta aussitôt les appartements de la marquise.

24

– Quelle est cette fable ? demanda d'Aquin, à qui
Marion venait de tout révéler. Tu voudrais me faire
croire que tu sais lire ! Et d'abord, comment t'ap-
pelles-tu ?

Le médecin arpentait la pièce en l'écoutant.
Marion expliqua ce qu'elle avait déjà raconté à la
marquise. Comme toujours lorsqu'elle parlait de
sa mère, elle serrait dans ses doigts maigres la petite médaille qui ne la quittait pas.

– Savoir lire et écrire est une chose rare et précieuse pour une fille de ta condition. Tu n'es donc pas idiote, et tu dois comprendre que je ne peux pas aller trouver le roi et accuser Madame de Montespan ! Surtout sans preuve ! Il me semble t'avoir déjà dit qu'il n'était pas question d'incriminer les grands de ce monde. Veux-tu que je finisse mes jours à la Bastille ?

Le médecin souleva sa perruque pour se gratter la tête et se remit à marcher de long en large comme un ours en cage. Marion l'observait. Malgré son air bourru, accentué par d'épais sourcils en broussaille, cet homme lui inspirait confiance. Ses vêtements étaient certes un peu sales, mais c'était fréquent à la cour. La fillette regarda aussi ses chaussures, où plus une trace de sang ne subsistait. Elle se félicita tout de même d'avoir utilisé son philtre. Grâce à cela, elle avait au moins échappé aux odeurs fétides des nombreux couloirs et escaliers du château.

– Si au moins tu avais une preuve, une seule, de ce que tu avances ! reprit d'Aquin.

– Je n'ai que le message, Monsieur. Mais je pourrais reconnaître l'odeur de la poudre, même si on n'en avait mis qu'une pincée dans un grand plat de ragoût !

– Qui me dit que tu ne l'as pas inventé, ce message ? Et par quel miracle saurais-tu retrouver une senteur aussi diluée ?

– Chez la marquise, je fais partie des occupées. Mon emploi consiste à veiller sur son sommeil, et…

– Ah ! Les occupées de la Montespan ! coupa le médecin en riant. Que fais-tu au juste pendant ces longues nuits sans dormir ?

– Je fabrique les parfums qu'elle me demande, pour elle-même… ou pour d'autres.

– Voyez-vous ça ! Une parfumeuse, répliqua d'Aquin, soudain soupçonneux.

– Pas au sens où vous semblez l'entendre,

Monsieur ! s'insurgea Marion. Je n'ai rien à voir avec ces charlatans qui travaillent avec les sorciers. Moi, je fabrique de vrais parfums ! Je sais reconnaître toutes les senteurs, quelles qu'elles soient !

D'Aquin était troublé par le regard grave et l'expression de parfaite sincérité qui émanait du visage de cette enfant.

— Je suis bien embarrassé... La vie de la reine est trop précieuse pour que je prenne le risque de ne pas te croire. Parle-moi de la poudre que tu as sentie à Clagny. Si elle contient du poison, peux-tu me dire lequel ?

— Non, Monsieur.

— Je croyais que tu étais capable de reconnaître n'importe quelle odeur !

— Pour cela, je dois l'avoir sentie au moins une fois, et je n'ai jamais senti de poison. Dans la composition de cette poudre, je n'ai retrouvé que l'odeur du sang. Le reste m'est inconnu.

— Je vois, fit d'Aquin en recommençant à arpenter la pièce. Les sorciers ont tous les mêmes pratiques. Leurs préparations contiennent toujours le sang séché des petites victimes de leurs messes noires, ainsi que leurs entrailles réduites en cendres. Pas étonnant que tu n'en aies jamais senti !

— Monsieur, n'y a-t-il aucun moyen d'empêcher la messe noire prévue pour ce soir et d'éviter le sacrifice d'un innocent ?

Le médecin se planta devant elle. Il posa un genou à terre pour être à sa hauteur et lui parla doucement :

— Pauvre petite, tu es bien naïve ! Dans les bas-fonds de Paris, on trouve sans peine des femmes miséreuses pour qui un enfant n'est rien d'autre qu'une bouche de plus à nourrir. Certaines sont prêtes à l'abandonner pour quelques pièces. Les sorciers le savent et les aident à s'en débarrasser. Alors, ce soir ou demain, ce qui doit arriver arrivera ! De nos jours, l'amour maternel n'est guère à la mode ! La police fait son travail, mais elle ne peut malheureusement pas tout voir. Revenons plutôt à cette poudre... Avant de parler au roi, il me faudrait savoir si oui ou non elle contient du poison. Je crois avoir une idée. Tu vas retourner à ton ouvrage chez la marquise et te comporter le plus naturellement du monde.

D'Aquin ouvrit une petite armoire, dont les portes grincèrent horriblement. Elle était remplie de bouteilles de toutes tailles, de coffrets et de liasses de papiers. Il se retourna vers Marion et lui tendit une fiole.

– Si tu es désignée pour veiller ta maîtresse la nuit prochaine, arrange-toi pour ajouter à sa boisson quelques gouttes de ce produit. Ensuite, ouvre grand tes oreilles. Il se pourrait bien que sa langue se délie de nouveau pendant son sommeil.

— Et, cette fois, pas besoin d'indigestion ! ajouta Marion en souriant.

— Je vois que nous nous sommes compris. File, et reviens me voir demain matin. J'espère que nous en saurons davantage !

25

La journée du lendemain fut épuisante. La marquise reçut toutes sortes de gens en prévision de la fête. Le tailleur, le coiffeur, le bottier pour l'essayage des souliers dorés, assortis à la robe, et même Monsieur Le Nôtre. À la demande du roi, il était venu pour prendre l'avis de la marquise quant à la décoration du bosquet où devait être servie la collation. Toute cette agitation avait rendu Pyrrhos plus agressif que jamais. Il finit même par mordre une jeune couturière qui n'avait pas pris garde à lui.

Marion avait rêvé d'être dans tous les petits secrets des préparatifs de la fête. Elle y était. Mais certains de ces secrets étaient bien lourds à porter et pouvaient aussi se révéler dangereux. Marion trouvait que le soir était long à venir. Elle avait hâte d'entendre les révélations que la favorite ne manquerait pas de faire sous l'effet de la potion.

Par les fenêtres du grand salon elle jetait de temps en temps un regard au-dehors. Des orangers plantés dans des caisses en bois venaient d'être apportés pour décorer la cour de marbre. Demain soir, après la collation, c'est là que serait donnée une représentation de la tragédie d'Alceste. Elle reconnut, entre autres, les tout petits orangers qu'elle avait admirés dans l'orangerie. Ils étaient l'œuvre de son père, et Marion en ressentait une grande fierté. Planté dans un pot en porcelaine, chacun d'eux était posé sur un piédestal doré. Partout, sur les toits, aux fenêtres et sur les balcons, on installait une double rangée de bougies. Les corbeilles de fleurs ne seraient mises en place que le lendemain, au pied des orangers, en même temps que les girandoles de cristal et d'argent.

Quand la nuit tomba enfin, Marion avait tout juste trouvé le temps de dormir une heure. À son réveil, Lucie lui apprit qu'elle avait été désignée pour veiller la Montespan.

Marion remarqua que son amie était triste.

– Qu'est-ce qui t'arrive, Lucie ?

– Martin et moi avons décidé de nous marier. Il en a fait la demande à la marquise, comme il se doit, mais elle a refusé. Je voulais en parler à Mademoiselle des Œillets pour lui demander de plaider notre cause. Mais elle est introuvable… Un laquais m'a dit l'avoir vue partir en carrosse, voilà une heure.

– La marquise est une vipère ! lança Marion.

Elle venait de comprendre que la dame d'honneur remplacerait la favorite au cours de la messe noire.

– Qu'est-ce qui te prend de parler comme ça ?

– C'est un serpent, crois-moi ! Je ne peux pas t'en dire davantage, Lucie. N'en parle à personne et garde confiance.

À l'heure du coucher de la marquise, tout se passa comme d'Aquin l'avait prévu. Avant de se glisser entre les draps de son grand lit, elle but un verre d'eau à la fleur d'oranger. Elle plongea très vite dans un sommeil profond, et les bavardages nocturnes arrivèrent presque aussitôt. Ils tournèrent si rapidement au délire que Marion pensa avoir abusé de la potion !

Pendant cette nuit de veille, la favorite l'avait chargée de fabriquer le plus merveilleux parfum qui soit pour rehausser encore, s'il était possible, l'éclat de sa robe d'or.

Tout en travaillant, la fillette ne perdit pas une miette de ses discours, aussi confus fussent-ils.

Cette fois, il était question d'écraser, le moment venu, le jeune mollusque et sa laitue, de coudre le voile autour du squelette, du dernier festin des boucles blondes et de la Camarde du Gascon...

Si la vie de la reine n'avait pas été en danger, Marion aurait bien ri de ce qu'elle venait d'entendre, mais, en réalité, elle n'avait pas compris grand-chose. Lorsqu'elle lui rapporterait les divagations de la Montespan, monsieur d'Aquin serait sûrement déçu.

Au matin, Marion quitta la marquise dès que les femmes de chambre arrivèrent pour son lever. Elle monta dans sa chambre pour faire un brin de toilette et boire un bol de bouillon. Il était tôt, mais Lucie en avait déjà rapporté de la cuisine. Avant de filer chez le médecin, elle sortit le flacon de philtre, le regarda en réfléchissant et finalement le reposa dans le petit placard. Tant pis pour les odeurs installées, à la faveur de la nuit, dans les corridors et les escaliers du palais ! Son nez pourrait lui être utile…

Le ciel était limpide et l'air très doux. Ce mercredi 4 juillet 1674 promettait d'être une belle journée.

26

– J'ai compris ! s'écria d'Aquin. L'affaire est plus grave qu'on ne pensait ! Deux meurtres ne lui suffisent donc pas. Il faut qu'elle en complote un troisième !

Le médecin ne devait pas être réveillé depuis longtemps. Il portait encore sa chemise de nuit, qu'il avait rentrée à la hâte dans son pantalon. Sans perruque, le cheveu hirsute comme le soir où Marion l'avait vu pour la première fois, il était assis à son bureau et se tenait la tête entre les mains.

La fillette attendait, impatiente de connaître ses conclusions.

– Voyons, reprit-il. La Camarde représente la mort, et je te rappelle que Monsieur de Montespan est gascon. Voilà que les intentions de la marquise à l'égard de son mari se confirment ! Le squelette, c'est la pauvre La Vallière, la précédente favorite. Le roi lui reprochait déjà sa maigreur bien avant qu'elle ne se cloître au Carmel. Le voile cousu autour d'elle signifie sans doute que la Montespan veut la voir finir ses jours au couvent.

– Et le mollusque ?

– Je crains qu'il ne s'agisse du dauphin. À treize ans, c'est un gros garçon flegmatique, qui parle peu et se gave de friandises à longueur de journée. Principalement des côtes de laitue confites au sucre. La marquise veut épouser le roi, mais ne compte pas s'arrêter là. Elle espère sans doute que l'un de ses fils montera sur le trône de France. Pour cela, il faut que le dauphin disparaisse ! La reine, son fils et le marquis de Montespan, cela fait trois assassinats ! Le compte y est !

– Les boucles blondes représentent donc la reine, intervint Marion.

– Tout juste ! Ce qui m'inquiète, c'est ce dernier festin dont il est question…

Après un court instant de réflexion, le médecin s'exclama :

– Et si c'était le banquet prévu pour ce soir, après le spectacle ? Je ne vois pas d'autre explication !

Marion frissonna. Le sentiment d'urgence qu'elle avait perçu à deux reprises était donc fondé !

– Nous devons agir vite ! lança d'Aquin en se levant.

Il disparut dans la chambre, s'habilla en quelques instants et revint, une petite boîte en métal à la main.

– Assieds-toi là, dit-il à Marion en approchant une chaise du bureau. Je me suis procuré quelques échantillons de poisons que les sorciers affectionnent particulièrement. Tu vas les sentir et, si l'un d'entre eux se trouvait dans la poudre destinée à la reine, tu pourras le reconnaître.

– Je le reconnaîtrai sûrement, Monsieur.

Marion se félicita de n'avoir pas utilisé son philtre et respira l'une après l'autre les fioles que le médecin lui tendait.

L'avant-dernière lui fit rejeter la tête en arrière.

– C'est celui-ci ! Il n'y a pas de doute. D'autres ingrédients qui me sont inconnus y étaient ajoutés. Mais cette odeur abominable, je la reconnaîtrais entre mille !

D'Aquin referma la fiole et la rangea avec les autres dans la boîte.

– C'est un poison lent. Une composition démoniaque, qui ne laisse aucune chance à la victime. Une tête d'épingle de ce produit peut tuer sur le coup un nourrisson, alors qu'un adulte dépérira pendant une semaine avant de s'éteindre. Ce n'est qu'une question de rapport entre la taille de la victime et la quantité de poison avalée. Je vais de ce pas prévenir le roi. Mais, avant, je vais te conduire dans les communs. Depuis hier, tout ce que le château compte de tournebroches et de marmitons y travaille pour préparer le banquet. Tu seras chargée de respirer tous les plats destinés à la table de Sa Majesté.

Marion resta sans voix. À partir de cet instant, la vie de la reine de France était entre ses mains.

27

Dans les cuisines du roi régnait une agitation indescriptible. À son arrivée, Marion se trouva plongée dans le bruit des ustensiles, les bousculades incessantes et les cris des cuisiniers. La chaleur dégagée par les immenses cheminées était insupportable. Le mélange des odeurs d'épices, de bouillons où trempaient encore les carcasses d'animaux, de graisse recuite, de sauces brûlées, d'épluchures et d'eau de vaisselle lui soulevait le cœur. Si elle n'avait pas été chargée d'une mission de la plus haute importance, elle aurait fui cet endroit sans tarder.

D'Aquin la recommanda à un officier. Sans bien comprendre, celui-ci l'emmena et lui fit visiter l'ensemble des salles qui constituaient les cuisines. Le médecin, lui, prit aussitôt la direction de la chambre du roi. Il était l'heure d'aller ausculter son royal patient.

Durant la journée, Marion parcourut toutes les pièces pour sentir les marinades, les ragoûts, les fricassées, les sauces et les coulis. Dans une grande pièce où l'on apportait au fur et à mesure les plats destinés au festin, elle respira tous les pâtés, les tourtes et les terrines. Elle s'attarda sur la pâtisserie, où son nez put enfin retrouver les parfums délicats des confitures, des pâtes d'amande, des compotes et des gâteaux de toutes sortes. Pas le moindre macaron n'échappa à son inspection. Elle se rendit aussi dans le garde-manger pour contrôler les fromages, les fruits et les légumes. Quant aux plats venant de la rôtisserie, elle s'en occuperait au dernier moment.

Martin venait souvent la voir et lui apportait quelque chose à grignoter. Il avait bien essayé de percer le secret de sa présence aux cuisines, mais elle était restée aussi muette qu'une carpe.

Vers six heures du soir, alors que le roi et ses invités se trouvaient dans le bosquet où la collation avait été préparée, d'Aquin vint la rejoindre.

– Je n'ai rien trouvé, Monsieur, lui dit-elle tout bas. Je suis désolée. Pas la moindre trace de poison.

– Continue à chercher. Il n'est peut-être pas trop tard. Je rentre chez moi. S'il y a du nouveau, préviens-moi.

En cuisine, l'agitation était maintenant à son comble. Dans quelques heures, il faudrait servir le roi et ses invités. Marion allait d'une salle à l'autre quand, en passant devant la pâtisserie, elle aperçut sur une desserte deux petits orangers au feuillage garni de sucreries. Elle était venue ici cinq minutes plus tôt et ne les avait pas remarqués.

— On vient tout juste de les poser là, lui confirma un galopin de cuisine qui soulevait avec peine une grosse marmite en fonte.

— Qui les a apportés ?

— Je ne sais pas, répondit le gamin, qui paraissait avoir une dizaine d'années. Demande au grand gaillard, là-bas, ajouta-t-il en désignant Martin du menton.

Marion alla le voir aussitôt.

— Ce sont les orangers destinés au roi et à la reine, expliqua Martin. Ils sont beaux, n'est-ce pas ? Sa Majesté exige qu'ils soient placés sur la table, juste devant eux, de manière à ce que chacun ait ses douceurs préférées à portée de main. Des pyramides de friandises seront servies aux invités sur des assiettes en porcelaine.

— As-tu vu qui les a apportés ?

– Un jeune marmiton, je crois. Mais je ne peux pas te dire son nom. Un jour comme aujourd'hui, on engage tous ceux qui se présentent. C'est-à-dire n'importe qui ! Celui-là, tiens, il nous a tous bien fait rire, car il empestait le parfum ! Se parfumer pour travailler en cuisine ! A-t-on idée ?

– Quel genre de parfum était-ce ? demanda Marion.

– Ma jolie, je ne suis pas douée comme toi pour ces choses-là ! Une odeur désagréable, ça pour sûr ! Juste bonne à faire fuir les moustiques !

– Qui ressemblait au parfum des géraniums, par exemple ?

– C'est ça ! confirma Martin.

Marion fronça les sourcils. Une seule personne à sa connaissance affectionnait l'essence de géranium. C'était Claude des Œillets !

La fillette décida d'aller examiner les orangers de plus près. L'un était garni de minuscules oranges et de cerises confites, mais aussi de fraises et de figues fraîches, les fruits préférés du roi.

Le deuxième ne portait que des massepains de couleurs légèrement différentes. Marion vit que certains avaient la teinte brune du chocolat. À n'en pas douter, c'était l'arbre réservé à la reine. La fillette s'approcha, mais quelle ne fut pas sa surprise lorsqu'elle constata que les pâtes d'amande étaient toutes parfaitement inodores ! Marion sentait la terre dans le pot en porcelaine, les odeurs du bois et du feuillage, qu'elle connaissait si bien. Elle ne sentait rien d'autre. Ni les amandes, ni le sucre, encore moins le chocolat, la vanille ou la fleur d'oranger. Tous les arômes qui auraient dû flatter son odorat étaient absents. C'était à n'y rien comprendre.

Un doute affreux s'installa dans son esprit, et aussitôt une bouffée d'angoisse la submergea. Elle enferma prestement le petit oranger de la reine dans un placard, glissa la clef dans sa poche et quitta les cuisines en courant à perdre haleine.

Lorsqu'elle arriva dans leur chambre, Lucie était assise sur son lit. Elle pleurait en se gavant de petits biscuits que Martin lui avait apportés pour la consoler de leur mariage manqué. Sans dire un mot, Marion ouvrit le placard où était enfermé son philtre. Le flacon était à sa place, mais il était aux trois quarts vide. « Ce matin, il était presque plein ! » pensa-t-elle.

Tout s'éclairait, mais une chose restait à démontrer. Elle se tourna vers Lucie.

— Non ! cria-t-elle en lui arrachant des mains le dernier biscuit qu'elle s'apprêtait à manger.

Elle versa dessus deux gouttes de l'élixir et, comme elle s'en doutait, le gâteau devint complètement inodore… Le philtre agissait aussi lorsqu'il imprégnait une matière !

Marion ferma les yeux et laissa échapper un soupir de désespoir. Elle se rendait compte du tort qu'elle avait eu de dévoiler son secret à la Montespan dans les jardins du Trianon et comprenait enfin le sens du regard échangé avec la des Œillets.

« Cette vipère a envoyé quelqu'un fouiller dans mes affaires, pensa-t-elle. Je suis sûre qu'elle s'est servie du philtre pour masquer l'odeur du poison ! » Marion se jura que dorénavant plus personne ne serait mis dans la confidence.

Il fallait maintenant prévenir d'Aquin ! Peut-être aurait-il le temps de parler au roi avant le souper...

28

Les applaudissements crépitaient. Louis XIV, la reine Marie-Thérèse, les princes et toute la cour faisaient un triomphe aux musiciens et aux acteurs de l'Académie Royale de musique. Quinault et Lully, l'auteur et le compositeur du spectacle, venaient de gravir les quelques marches qui séparent la cour royale de la cour de marbre et saluaient la noble assistance.

Après avoir tout révélé à d'Aquin, Marion était retournée dans sa chambre. Vers huit heures, elle avait entendu de la musique. Le spectacle commençait. Un peu plus tard, le médecin l'avait entraînée dans les appartements royaux, et c'est d'une fenêtre du premier étage qu'ils observaient la scène.

Ils virent le roi et la reine entrer dans le château pour rejoindre la salle où étaient dressées les tables. Il était minuit.

– Allons-y ! Je connais un endroit d'où nous pourrons tout voir sans être vus, chuchota d'Aquin.

Marion marchait à côté de lui en regardant le décor des salles. C'était grandiose, encore plus luxueux que chez la marquise ! Tous les courtisans étaient invités par le roi, et les deux complices ne croisèrent qu'une foule de domestiques en livrée. Certains saluaient le premier médecin du roi, dévisageant avec surprise la petite servante qui l'accompagnait.

D'Aquin, qui connaissait parfaitement les lieux, ouvrit une porte dissimulée dans la tenture. Ils longèrent un couloir et entrèrent dans une sorte d'alcôve, une pièce aveugle faiblement éclairée par un chandelier à trois bougies. Elle était meublée de deux fauteuils, d'un guéridon et d'une commode sur laquelle étaient posés les deux petits orangers… De ce réduit, un petit judas très discret leur permettait de voir la salle du festin.

– La table de Leurs Majestés est au premier plan, dit d'Aquin à voix basse.

Puis il s'écarta pour que Marion puisse regarder à son tour, dressée sur la pointe des pieds. Oubliant presque le danger qui menaçait la reine, elle tremblait de bonheur. Elle était transportée de joie à l'idée de se trouver au cœur du palais de Versailles, dans un endroit des plus secrets…

Les souverains ne tardèrent pas à arriver, suivis des personnes invitées à leur table. Il y avait Monsieur, le frère du roi, et son épouse, la grosse princesse palatine. Venaient ensuite le dauphin, Madame de Montespan et quelques dames de la haute noblesse à qui Louis XIV voulait faire honneur.

Les violons qui s'étaient mis à jouer ne devaient plus s'arrêter jusqu'à la fin du repas.

L'œil collé au judas, Marion n'en finissait pas d'admirer les belles robes aux couleurs chatoyantes. Les bougies des candélabres et des lustres de cristal rehaussaient l'éclat des étoffes et des bijoux de leur lumière dorée, délicate et caressante.

Athénaïs était bien entendu la plus belle dans sa robe d'or. La pauvre reine, recouverte de tous les joyaux de sa cassette et engoncée dans un corset serré à mourir, lui lançait des regards envieux.

D'Aquin alla jeter un coup d'œil dans la grande salle.

– La marquise a obtenu du roi la permission d'amener Pyrrhos, alors que la reine a reçu l'ordre de laisser ses chiens chez elle, soupira-t-il en s'asseyant. Maintenant, il nous faut attendre.

Le souper dura longtemps. Marion vit défiler une foule de serviteurs apportant des plats par dizaines. C'était une sorte de ballet, fort plaisant à regarder. Elle entendait le tintement des verres, les rires et les exclamations des convives. Toutes les odeurs merveilleuses venaient de nouveau jusqu'à ses narines.

Après les potages, les moyennes et grandes entrées, les relevés, les rôtis, les entremets salés ou sucrés et les salades, arriva enfin le service du fruit.

– Monsieur, on apporte les desserts ! souffla Marion en s'écartant un instant du judas.

– Nous y voilà !

Le médecin se leva d'un bond :

– Reste ici. Je reviendrai te chercher bientôt.

Sur ces mots, il prit un oranger sous chaque bras et disparut dans le couloir.

Pendant ce temps, de l'autre côté de la cloison, la table du roi se couvrait de pyramides de fruits frais, de grandes assiettes de gâteaux de toutes sortes, de fruits à l'eau de vie, de tasses de sorbet, de jattes de compotes, d'immenses corbeilles de fruits confits et d'une infinité de petites coupelles remplies de caramels, de dragées et d'autres sucreries très appétissantes. On apporta aussi deux petits orangers, que Marion reconnut aussitôt. Les gentilshommes qui servaient les souverains les déposèrent délicatement devant le couple royal. Marion sursauta : l'oranger qui portait les massepains de la reine avait été placé devant le roi. La reine, quant à elle, fit la grimace devant l'arbre qui portait les fruits préférés de son époux.

Tout en parlant avec son frère, le roi venait de choisir un massepain au chocolat qu'il tenait entre ses doigts, le temps de finir la conversation.

La marquise était comme pétrifiée. Son teint était livide, et malgré ses efforts pour ne rien laisser paraître son regard trahissait une terrible angoisse. Marion eut l'impression qu'elle ne respirait plus.

La fillette savait que la favorite ne souhaitait pas atteindre le roi, même si elle lui en voulait de n'avoir pas répudié la reine pour l'épouser, elle. S'il mourait, elle ne serait plus rien à la cour, sinon la mère de trois bâtards, et la vengeance de Marie-Thérèse serait terrible. En ces circonstances, la reine, devenue régente, aurait le pouvoir d'expédier la favorite déchue finir ses jours dans un couvent de province...

Pyrrhos, attiré par l'odeur des sucreries, entreprit de tourner autour de la table en jappant. Dans l'indifférence générale, Marion le vit s'approcher de Louis XIV et s'installer sur son arrière-train pour faire le beau. En se léchant les babines, il se mit à gratter le bel habit parsemé de pierreries.

Finalement, délaissant sa conversation, le roi adressa un sourire à sa femme. Il approcha une fois de plus le massepain de ses lèvres, mais, au dernier moment, il le lança en l'air. Marion poussa un soupir de soulagement et s'écrasa le nez contre le mur pour ne rien manquer du spectacle stupéfiant qui se déroulait sous ses yeux. Pyrrhos sauta le plus haut qu'il put, attrapa au vol la friandise tant convoitée et l'avala tout rond. Ce bond spectaculaire attira l'attention des convives. L'instant d'après, il fut secoué de convulsions si terribles qu'il se trouva soulevé du sol comme si ses quatre pattes étaient munies de ressorts. En seulement quelques secondes, la gueule écumante et les yeux révulsés, il tomba raide mort sur le parquet devant les courtisans médusés.

29

– Sa Majesté t'attend, Marion ! déclara monsieur d'Aquin en souriant.

Pour la deuxième fois, elle l'accompagna dans l'enfilade des antichambres et des salons de l'appartement royal. L'atmosphère y était toute différente de la veille au soir. De nombreux courtisans se tenaient là, chacun attendant de voir le roi pour solliciter une faveur ou lui faire sa cour. Sur leur passage, quelques têtes se tournèrent. Des sourires narquois suivirent cette petite servante qui pressait le pas derrière le médecin.

Ce jour-là, Marion portait une tenue fraîche-
ment lavée et repassée. Lucie lui avait donné un
joli ruban, récupéré après le passage du tailleur,
pour qu'elle y accroche sa médaille, mise en valeur par le petit décolleté de sa robe. Ses cheveux
étaient bien coiffés sous le bonnet brodé, et ses
beaux yeux pétillaient de bonheur.

Lorsqu'ils arrivèrent devant une porte à double
battant, encadrée par des gardes suisses, d'Aquin
se pencha et lui dit à l'oreille :

— Le roi est au courant de toute l'affaire. D'ailleurs, hier soir, tu as pu constater que son plan a
parfaitement fonctionné. Pour lui, tu es celle qui a
sauvé la reine grâce à un odorat hors du commun.
À aucun moment tu ne dois accuser la marquise.
Sa Majesté ne souhaite pas que la mère de plusieurs de ses enfants soit mise en cause, sans
preuve formelle, dans une affaire de poison aussi
sordide. Mais, rassure-toi, Madame de Montespan

a parfaitement compris le message, et le roi pense qu'à l'avenir elle se tiendra tranquille.

Le médecin avait à peine eu le temps de se redresser que la porte s'ouvrait.

Le roi et la reine étaient assis dans de grands fauteuils au fond du salon privé. La fillette s'approcha lentement et fit une révérence maladroite.

– Relevez-vous, lui dit le roi d'une voix douce.

Marion n'en croyait pas ses oreilles. Le roi de France la vouvoyait !

– Mademoiselle, je vous serai toujours reconnaissant de ce que vous venez de faire pour la reine. Monsieur d'Aquin m'assure que c'est grâce à un don incomparable pour les parfums que vous avez réussi cet exploit. Mon intention n'est pas de vous mettre une nouvelle fois à l'épreuve ; mais sauriez-vous me dire de quelles essences est composé celui que je porte ?

Ce parfum, Marion l'avait aussitôt reconnu en entrant dans le salon. Loin de se troubler, elle en donna au roi une analyse très précise et se permit d'ajouter en guise de conclusion :

— Sire, je n'ai aucun mérite à décrire cette eau de senteur, puisque c'est moi qui l'ai fabriquée à la demande de Madame de Montespan, qui désirait vous l'offrir.

Marion lança un regard vers le médecin, qui était entré en même temps qu'elle et se tenait un peu à l'écart. Après tout, il ne lui avait pas interdit de parler de la favorite à propos des parfums !

Le roi avait légèrement froncé les sourcils et marqué un temps d'arrêt avant de poursuivre :

— Il me semble vous reconnaître, Mademoiselle. Je vous ai croisée à plusieurs reprises, chez la marquise et au Trianon de Porcelaine. Certains de mes informateurs m'ont dit avoir souvent vu dans le parc une fillette qui vous ressemble enterrer quelque chose au pied des arbres. Des bouteilles, paraît-il. Était-ce vous ?

Et Marion qui pensait que son secret était bien gardé !

– Oui, Sire, répondit-elle en baissant les yeux.

Elle expliqua ensuite pourquoi et depuis quand elle avait pris cette habitude.

– Ainsi, vous savez aussi lire et écrire. Vous êtes décidément une bien étonnante petite personne ! Maintenant que je commence à vous connaître, il ne me déplaît pas de savoir que vous faites de mon parc votre jardin secret. Et je vous engage à continuer !

Marie-Thérèse, entourée d'une bonne dizaine de chiens minuscules, la regardait en souriant. Le roi se tourna vers elle et reprit :

– Pour vous marquer sa reconnaissance, la reine vous invite à nous accompagner dans notre promenade. Une calèche attend en bas. Elle nous conduira dans un endroit qui, j'en suis sûr, ne vous laissera pas indifférente.

30

Marion et d'Aquin suivirent les souverains et montèrent avec eux dans une superbe calèche sous le regard incrédule des courtisans.

– Marche ! lança le roi au cocher.

Il faisait un temps splendide. La calèche roulait dans les larges allées bordées d'arbres minutieusement taillés et de magnifiques parterres de fleurs. Elle contourna plusieurs bassins, d'où s'élançaient de gigantesques jets d'eau, retombant en une pluie de fines gouttelettes cristallines sur des statues dorées.

Marion était fascinée à la fois par ce spectacle grandiose et par la voix du roi, qui faisait lui-même le commentaire de toutes ces merveilles. Lorsque la voiture s'immobilisa à la tête du grand canal, la fillette aperçut les deux gondoles dorées prêtes à partir pour la promenade.

Son rêve allait-il s'accomplir ? Elle n'osa pas y croire jusqu'au moment où le roi l'invita à prendre place à bord, avec lui et la reine. Heureuse comme jamais elle ne pensa pouvoir l'être de sa vie, elle se laissa emporter sur les flots. Quel merveilleux cadeau !

Le roi avait la réputation d'être juste. Il punissait sévèrement quand c'était nécessaire, mais il savait aussi récompenser quelqu'un qui le méritait. Marion en avait ici la preuve. En caressant sa médaille, elle regretta que Marie ne puisse pas partager avec elle cette immense joie. Dès la fin de la promenade, elle se promettait de courir jusqu'à l'orangerie pour raconter à Antoine ce véritable conte de fée. Et puis, comme le souverain l'avait engagée à garder ses habitudes, elle irait aussi confier son bonheur à la terre de Versailles.

Lentement, le gondolier vénitien fit tourner l'embarcation dans le bras du canal qui partait sur la droite, en direction du nord.

Marion était émerveillée. Tout était si beau ! Bercée par le doux clapotis de l'eau et les violons du roi, elle admirait les pelouses fleuries, les arbres et les statues qui défilaient de chaque côté du canal. Un peu plus loin, droit devant elle, s'annonçait la féerie des jardins du Trianon de Porcelaine…

31

En haut de l'escalier qui montait du canal vers les parterres du Trianon, Marion aperçut, à sa plus grande surprise, Antoine, Augustine et Gaspard Lebon, au milieu d'une foule de jardiniers. Sous leurs acclamations, le petit groupe se dirigea vers le Cabinet des Parfums.

— Vous êtes ici chez vous, déclara le roi en regardant Marion. Vous pourrez y venir quand bon vous semblera et y rester aussi longtemps qu'il vous plaira.

Il ouvrit lui-même la porte du pavillon avant de lui remettre solennellement une jolie clef dorée.

Marion n'en croyait pas ses yeux.

– Je... je ne sais... que dire... C'est trop d'honneur, Sire... Co... comment vous remercier ? balbutia-t-elle.

– Ne me remerciez pas. Ce n'est pas un cadeau, mais un outil de travail qui vous aidera à remplir vos nouvelles fonctions. La reine va vous dire lesquelles.

– À compter de cette minute, vous faites partie de ma maison, Mademoiselle, lui annonça celle-ci d'une voix chantante à l'accent espagnol très prononcé. Pas en tant que servante, bien entendu. Votre talent mérite mieux. Le roi a donné son accord : vous serez désormais ma parfumeuse attitrée.

Parfumeuse de la reine ! Marion vivait assurément le plus beau jour de sa vie.

– Merci mille fois, Majesté, répondit-elle en mettant un genou à terre.

– Relevez-vous, Mademoiselle, dit gentiment la reine en souriant. J'ai une autre surprise pour vous.

Accompagnées du roi, de monsieur d'Aquin et de tous les jardiniers, elles se dirigèrent vers les plantations d'orangers sur la belle terrasse ensoleillée qui faisait face au sud.

– Si vous n'aviez pas été là, je serais peut-être morte aujourd'hui, reprit Marie-Thérèse. Pour marquer cette victoire sur la fatalité et sur mes ennemis, quels qu'ils soient, j'ai décidé de planter un jeune oranger. J'espère vivre aussi longtemps que lui !

– Nous l'appellerons « l'Arbre de la reine », renchérit le roi. Pour lui souhaiter longue vie, ainsi qu'à la reine, et aussi pour respecter votre rite mystérieux, une bouteille contenant un message de prospérité sera enterrée à son pied.

Des jardiniers arrivèrent alors, portant une jeune pousse, qu'ils mirent aussitôt en terre. Un laquais apporta à Marie-Thérèse une bouteille. Elle sortit de son aumônière un petit rouleau de papier et entreprit de le faire glisser dans le goulot.

Marion regarda rapidement autour d'elle. Fidèle à son habitude, elle aurait aimé cueillir une fleur d'oranger pour la joindre au message. Puis, se ravisant, elle pensa que l'arbre de la reine méritait mieux qu'une simple fleur et décida de lui offrir ce qu'elle avait de plus précieux. La petite médaille de Marie !

Quand il vit son geste, le roi posa sa main couverte de bagues sur l'épaule de la fillette :

— Gardez ce bijou, Mademoiselle ! Quelque chose me dit qu'il vous est précieux.

Il rattacha lui-même le ruban qu'elle venait de dénouer et ajouta dans la bouteille un louis d'or pour symboliser la médaille.

La bouteille enterrée, tout le monde se dirigea vers un bosquet, où une collation avait été préparée. Le roi félicita Antoine et trinqua avec tous les jardiniers.

Le soleil commençait à décliner quand Marion monta à bord de la gondole pour rentrer au château. Cette fois, elle était seule avec le roi, la reine et monsieur d'Aquin voyageant ensemble sur la deuxième gondole.

Le roi prit la parole dès qu'ils eurent quitté l'embarcadère :

– D'où vous vient cette médaille que vous étiez prête à sacrifier ?

– Elle appartenait à ma mère, Marie. Je l'ai reçue après sa mort, il y a quatre ans.

– De qui la tenait-elle ?

– Je ne sais pas, Sire.

– Eh bien, je vais vous le dire, car je connais cette médaille. J'ai également bien connu votre maman.

Marion sursauta et saisit la médaille entre ses doigts en regardant le roi droit dans les yeux.

– Nous n'étions alors que des enfants. Elle était la fille d'une servante de ma mère, la reine Anne. J'avais sept ans, et elle en avait six. Nous étions toujours ensemble, même lorsque mes précepteurs venaient pour m'enseigner le français. C'est là qu'elle a appris à lire. Elle avait une grande vivacité d'esprit, et tout en faisant mine de jouer avec ses poupées, elle ne perdait pas un mot de tout ce qui se disait. Ensuite, dès que nous étions seuls, je lui apprenais à former ses lettres et je corrigeais ses erreurs. J'aimais beaucoup Marie, poursuivit le roi en soupirant. Je peux même dire qu'elle a été mon premier véritable amour... Me croiriez-vous si je vous disais que je l'affublais de toutes sortes de petits surnoms ? « Ma reine » était celui qu'elle préférait, et j'avais fini par ne plus l'appeler que comme ça ! « Ma reine », cela lui allait bien, elle était si jolie… Un jour, où j'avais décidé de lui offrir un cadeau pour lui prouver mon amitié, j'ai demandé à ma mère un bijou de sa cassette. Elle a d'abord refusé, mais j'ai tant insisté qu'elle a cédé et m'a donné cette médaille. Depuis ce jour, ma chère Marie l'a toujours portée.

– Comme je le fais depuis sa disparition, murmura Marion.

– Plus tard, reprit le roi, la vie nous a séparés, comme vous vous en doutez, et je ne l'ai plus jamais revue. Me direz-vous, Mademoiselle, de quoi est morte votre mère ?

– Elle est morte dans un bain de sang par la faute d'une sage-femme complètement ivre, la seule que mon père ait pu trouver au milieu de la nuit. J'ai échappé à la vigilance d'Augustine, qui veillait sur moi, et j'ai vu ce que je n'aurais jamais dû voir. Depuis, j'ai perdu le sommeil, et je ne supporte plus la vue du sang, et encore moins son odeur.

– Pauvre enfant ! murmura le roi en voyant de grosses larmes rouler sur les joues de Marion.

Il lui tendit un joli mouchoir bordé de fine dentelle. En l'approchant de son visage, elle sentit le parfum que, sans le savoir, elle avait composé pour lui quelque temps plus tôt. C'était une senteur merveilleuse. Elle la respira à pleins poumons et, peu à peu, sa peine se dissipa.

– Je suis navré, je ne voulais pas faire pleurer d'aussi jolis yeux.

Le roi se racla la gorge avant de continuer :

– Savez-vous, Mademoiselle, que j'ai gardé de mon enfance la manie de donner à chacun un surnom ? Eh bien, j'en ai trouvé un qui vous irait à merveille.

Devant le silence étonné de Marion, le roi demanda :

– N'aimeriez-vous pas savoir lequel ?

– Si, Votre Majesté.

– Votre mère était « Ma reine ». À partir d'aujourd'hui, je vous nommerai « Ma princesse ». La fille d'une reine n'est-elle pas une princesse ?

Marion et le roi se regardèrent et partirent ensemble d'un éclat de rire complice.

Ce soir-là, dans son nouveau logement, au-dessus des appartements de la reine Marie-Thérèse, Marion se coucha dans un lit douillet et, pour la première fois depuis quatre ans, dormit toute la nuit…

Épilogue

Le roi ne souhaita pas qu'Athénaïs, la belle marquise, fût inquiétée. Il n'ordonna aucune enquête, pensant avoir réglé cette affaire lui-même. Pourtant, la Montespan continua à consulter astrologues, cartomanciennes et sorcières de tout poil.

Sa faveur ne dura plus très longtemps. En 1679, la tristement célèbre « affaire des poisons » éclata au grand jour. La favorite fut mise en cause à plusieurs reprises, et le roi se détourna d'elle définitivement.

Mademoiselle des Œillets, sa première femme de chambre, confidente et dame de compagnie, fut également impliquée. Elle n'avait fait qu'obéir aux ordres de sa maîtresse. Cependant elle fut cruellement punie. Internée sur ordre du roi dans un misérable hospice de province, elle y mourut en 1686, abandonnée de tous.

La reine Marie-Thérèse, de son côté, savoura sa victoire sur la vie et sur sa rivale. Cette petite infante espagnole boulotte aux dents gâtées était une femme juste, attentive et humaine qui aimait passionnément les enfants. Elle n'eut pas de chance avec les siens. À l'époque où elle connut Marion, seul vivait encore le dauphin. Elle avait été particulièrement affectée par la perte de sa dernière fille, âgée de cinq ans. En voyant Marion, elle lui avait trouvé une étrange ressemblance avec la fillette disparue et l'avait adoptée au premier regard.

Après ce jour de juillet 1674, la vie de la reine retomba dans la routine. Elle continua à prier, à jouer avec ses bouffons nains et à se gaver de chocolat. En somme, rien ne changea vraiment dans son existence. Rien, sinon la présence de Marion, qu'elle aimait sincèrement, ainsi que les parfums somptueux et uniques que la fillette fabriquait pour lui plaire.

Peu de temps après l'entrée de Marion au service de la reine, Lucie Cochois et Martin Taillepierre reçurent du roi l'autorisation de se marier. Le jeune cuisinier continua à travailler dans les cuisines royales où son talent ne tarda pas à être reconnu. À sa plus grande joie, Lucie quitta le service de la marquise pour entrer, à son tour, chez la reine.

À la mort de Marie-Thérèse, en juillet 1683, Marion devint la parfumeuse du Roi-Soleil.

Antoine Dutilleul était fier de sa fille. Augustine, Gaspard et tous les jardiniers qui avaient vu grandir Marion partageaient ce sentiment.

Depuis, à chaque fois qu'ils plantaient un arbre dans le parc du château, ils enterraient à son pied une bouteille contenant un message de prospérité pour souhaiter longue vie à l'arbre et une petite pièce d'or, symbole de la médaille de Marie.

En s'emparant de cette merveilleuse histoire pour donner naissance à une tradition, les jardiniers rendaient, à leur manière, un émouvant hommage à l'incroyable destinée de Marion et à sa passion pour les parfums, la terre et les fleurs des orangers de Versailles.